双葉文庫

犯人に告ぐ（下）

雫井脩介

犯人に告ぐ（下）

5

月曜日に〔ニュースナイトアイズ〕の初出演を果たしてから、巻島はその週の水曜日、金曜日、そして翌週の月曜日にも出演に臨み、その四回の特集で四つの事件すべてを公開捜査にかけ終えた。今後の出演は月木の週二回というサイクルに切り替わり、集められた情報に対する捜査の進行を報告することになった。

座間プロデューサーからは、当分、週三回の予定で行けないかとの打診があったが、巻島には必要性が感じられず、何か大きな動きがあれば考えさせてもらうとの答えを返しておくにとどめた。大きな動きとは、無論、〔バッドマン〕本人からの反応である。

座間は打診を引っ込めながらも、残念そうな口振りだった。それにほだされるつもりはなかったが、心情としては理解できた。川崎事件の特集は二回目から瞬間視聴率二十パーセントを超え、番組としては政変や大事件、大事故直後にも匹敵する注目度を叩き出していたのだ。巻島が局に入るときは、座間の笑顔に迎えられるようになっていた。

何より視聴者の目には、迫田和範と現役捜査官のやり取りが新鮮に映ったようだった。巻島自身も、彼と捜査会議をやっているようなライブ感覚を味わうこともしばしばだったから、そういう意味では成功しているという思いがあった。迫田の指摘は捜査員たちの間では私見としてすでに言及されていることも多かったが、巻島はすべて貴重な意見として拝聴していた。

一方で、世間の目が巻島自身に強く向けられていることも、否応なく意識させられるようになった。飲食店や駅など人の多い場所に出向くと、遠慮のない視線が浴びせられる。まったく面識のない相手があたかも顔見知りであるかのような目を向けてくるのは、何とも妙な具合だった。巻島はテレビ局に行くのにも、自分の車を使うことにした。夕刊紙などには巻島にスポットを当てた記事などもちらほら出始めたようだったが、その内容まで知りたい気にはならなかった。

この一週間で視聴者から寄せられた情報は五千件に達しようとしていた。中には首都圏以外の視聴者から届く応援のメッセージや番組の感想的な文を綴ったものも多く、検討に値する情報はそのうちの四割程度だった。

封書は手袋を嵌めた捜査員らによって、慎重に開封された。住所、氏名が記されていない匿名の封書は鑑識課に回されて、便箋に付着している指掌紋が採取された。その後、文面の

内容と体裁両面から細かな検討が行われ、〔バッドマン〕が捜査撹乱の目的で送りつけてきた疑いがないかどうか、ふるいにかけられた。

各類のAランクに分類された重要度の高い情報に対しては、捜査一課の捜査員らを中心にして編成された聞き込み班による裏付け捜査が始められた。東京都内からの情報も少なくなく、警視庁へ協力要請をするとともに捜査本部からも何人かの捜査員を派遣して、同様の裏付け捜査が進められた。

また、〔バッドマン〕を名乗ったもの……V類の郵便物も何通か届いていた。

「どうだ、手応えは？」

巻島は捜査本部のV類作業班専用にあてがわれた別室に入ると、作業テーブルで封書と睨めっこをしている津田に声をかけた。

津田は老眼鏡の上から巻島を見上げ、苦笑混じりにかぶりを振った。

「世の中、暇な人間が多いようで」

「ふむ。ちょっと俺にも見せてくれ」

巻島は津田ともう一人、西脇辰則《にしわきたつのり》という文書鑑定に精通している科学捜査研究所の専門官にV類のはがきや封書を担当させていた。

「みんなCばかりか？」

津田の向かいに座る西脇が頷いた。

「一瞥して分かりますよ」

西脇は科学捜査研究所に保管されている早津名奈宛ての〔バッドマン〕の脅迫状を、それこそ穴が開くほど見てきている。一字一句が網膜に焼きついていると本人が自信たっぷりに言うくらいである。

巻島はV類の文書だけは自分の目でも確かめておこうと思っていたので、西脇の言葉はそれとして、一枚ずつ白手袋を嵌めた手で繰ってみた。

しかし、やはりと言うべきか、西脇が言った通り、真偽に悩まされるレベルには達していなかった。〔バッドマン〕という署名の横に「なんちゃって」とか、「ウソだよん」などと付け加えられ、おふざけ以外の何物でもないでたらめな文章が書かれているものも多い。検討する価値もない。

早津宛ての脅迫状が各メディアを通して世間に公表されている以上、その体裁を巧妙に真似たV類文書が届くことは巻島も想定済みである。しかしながら、今のところそこまでのレベルに達したものは何通もない。

「これなんかどうだ？」

巻島は、早津宛ての脅迫状にイメージが近いと言えば近い一通を取り上げてみた。

「まあ、Bに入れてもいいですけどね」西脇はそう言いながらも首を振っていた。「文字の大きさや文字間隔の取り方は全然違います。文字自体も似せてはいますけど、総じてアバウトですね。便箋の折り方も違うし、指紋もベタベタ付いてます。内容も見るべきものがないとくれば、子供のいたずらとしか判定しようがありません」

西脇は早津宛ての脅迫状のコピーとそれを並べてみせた。

「ふむ……」反論可能な見地も見つけられず、巻島はただ相槌を打った。そして、「何通来てる?」と話を変えた。

「十一通です」

「そうか」

まだ少ないな……そう思いながらも口には出さず、巻島はその部屋を出た。

そのあとも捜査本部を回り、各班が情報の仕分け作業や検討作業を進めていく様子を見て歩いていると、胸ポケットの携帯電話が震えた。

〈今、下に来てるんですよ〉

そう言われて一階のロビーに下りていくと、捜査一課特殊犯係時代の部下だった村瀬次文が上着を脇に抱えて立っていた。

「元気そうじゃないか」

巻島はそばに寄るなり、昔より一回り肉をつけたように見える村瀬の二の腕を叩いた。電話でこそちょくちょく近況報告を交わし合っていたものの、お互いに顔を合わせるのは巻島が捜査一課の管理官を外れて以来のことだった。

「いやあ、ここの前の富士見坂っていうのは、きついっすねえ。軽く昼飯でもと思って来たんですけど、途中で後悔しましたよ」

村瀬はハンカチで長い顔を拭きながら笑った。どこか四十路に入ったなりの悲哀が刻まれているような笑顔だ。

「安い飯でもいいか?」

巻島は腕時計で昼に近いことを確かめて、村瀬を通りの向かいにあるファミリーレストランに誘った。

宮前署の周辺は区役所などがあるものの、基本的には住宅街である。ファミリーレストランには若い親子のグループなどがちらほらと目立つ。巻島らはほかの客から距離を置いた一席に腰を下ろした。それでも遠目から若いママたちがひそひそ話を交えて巻島に視線を寄越してくるのが分かった。

「巻島さんもすっかり有名人ですね」

周囲の空気に気づいた村瀬が遠慮なく茶化してくる。巻島は苦笑で返しておいた。

「どうですか、目算は？」

「まだ分からないな」

「四百人態勢って話じゃないですか。うちの班からも何人か持ってかれましたよ」

「そりゃ悪いな」

「いやいや、それは別にいいですけど、それだけの連中を仕切るのはさぞかし大変だろうなと心中察しましてね。捜一の強行犯係なんか食えないやつばっかでしょう」

「まあな」巻島は苦笑する。「でも早々と街に解き放ったら、ガスが抜けたみたいだ」

「犬も散歩させたら大人しくなりますしね」

村瀬はそんなことを口悪く言い、いたずらっぽく眉を動かしてみせた。

ざるそばに小ぶりの天丼が付いたランチセットを二つ注文する。

「そっちはどうだ？」

巻島は笑みを消して尋ねた。

「相変わらずですね」村瀬は軽く肩をすくめて答える。「うちの帳場だけ時間が止まってるんじゃないかと思いますよ」

村瀬は今もなお六年前の桜川健児少年誘拐殺害事件の専従捜査員として〔ワシ〕を追って

いる。事件後、一時は二百人規模にまでふくれ上がった捜査本部には、誘拐捜査に携わった特殊犯係のメンバー数人も組み込まれた。その一人が村瀬だった。以来、捜査の活気も夢の跡という状態となった今も、まるで帳場の主のようにしがみついている。

あの夜、村瀬は巻島の後ろについて〔ワシ〕を追い、幻の犯人を取り逃がした。翌日、桜川健児少年が遺体となって発見されると、真っ先に現場へ急行し、両親に遺体の確認をしてもらう重い役目を請け負った。巻島だけではなく村瀬にとっても、あの事件は消し去りようのない大きな影となって自分の中に残っているに違いなかった。

もはや〔ワシ〕の追跡が刑事人生そのものと言ってもいい村瀬に対して、巻島は率直に羨ましいと感じている。自分の忸怩《じくじ》たる思いを彼への期待に代え、何とか決着をつけてくれと託す気持ちがある。

有賀《ありが》……。

あの夜には知る由もなかった一人の名を口にしようとして、巻島は自分の唇が強張るのを感じた。

「有賀はどうなってる?」感情を押し隠して訊く。

村瀬は首を振った。

「最近は外に出ることもほとんどなくなりましたね。何を考えてるのか……引きこもりって

やってすよ」

「そうか……それは張りがいがないな。俺の記憶がもう少ししっかりしてればよかったんだが」

村瀬はそれにも首を振り、笑みを付け加えた。

「あの夜の雑踏の中じゃ、そりゃ無理ってもんです。決めつけてみたところで、公判も持ちませんよ」

「ふむ……そうだな」

巻島は独りごちるように呟き、小さく息をついた。久し振りの再会を祝しての食事だったが、あの事件を話題から外すことなどはできず、必然的に呼び込むことになる気鬱な空気を甘んじて受け入れた。

村瀬も慣れっこらしく、二人で物憂く箸を動かした。


その週の木曜日に組まれた〔ニュースナイトアイズ〕の特集では、早津名奈宛てに届いた脅迫状についての検証がメインとなった。まだ視聴者からの情報に対して十分な捜査報告ができないとの理由から巻島が提案したものだった。早津も望むところとばかりに協力的だっ

たので、企画はスムーズに実現化した。

画面には脅迫状を鮮明に写した映像が流された。

巻島は、科捜研の専門官の見解として、その脅迫状を解説してみせた。

「文面は一見、過激なんですが、文章的にはリズムがあって、非常に練れている印象を受けます。これだけの文章量なのに誤字脱字がないという点を見ても、下書きをして書いたような入念さが感じられます。疑問符を抵抗なく使いこなしていますし、普段から文章を書き慣れている、極めて知性の高い犯人像が浮かび上がってきます。

文字は作為的に角張った書き方がされていますが、これが最後まで徹底されていることからして、注意深く神経が細かい一面が窺い知れます。同時にこれは、執着的な性格を有しているとも言えます。ほとんど改行をしないで文章を書き連ねているあたりにも、視野狭窄的な執着性が出ているように思われます」

それに対して迫田は、普段からこの犯人が〔ニュースナイトアイズ〕の視聴者であると見られることから、中高生などの若年者である可能性は低いと推理できることや、〔バッドマン〕という自称が〔バットマン〕を単純にもじったものであり、かつて世間を賑わせた〔酒鬼薔薇聖斗〕などのように過剰な捻り方をしていないことからも、やはりある一定の年齢に達した大人がその正体である可能性が高いと思われることなどを指摘した。

金曜日の夕刊紙には、前日の放送を受け、「神奈川県警がニセ〝バッドマン〟続出にお手

日曜日の昼過ぎ、杉村未央子を白金台で拾った植草は、愛車のSVXを西行きの目黒通りに乗せた。

型は七年以上落ちていて、とうの昔に生産中止になっているこの国産スポーツクーペは、植草が方々の中古車ディーラーを回った末にようやく手に入れたばかりのものだった。燃費は悪いし、内装も洗練されてはいない。しかし、そんな欠点を補って余りあるシャープでエレガントな外観に植草は心を惹かれた。流行の新車だけに愛でる価値があると信じていた頃を過ぎ、本当にいいものを自分の感性で選べる歳になったと訳知り顔に語るつもりはないが、そんな自分の趣味嗜好が悪い線を行ってはいないという自己満足めいた思いもある。

ただ、助手席に座った未央子がそのあたりのこだわりを嗅ぎ取って、植草のセンスに共感

してくれるかどうかはまったく読めない話だった。むしろ未央子は乗り込んだときから、ジウジアーロのデザインも、本革のシートも、水平六気筒のエンジン音もまるで興味がなさそうに、漫然と前を見ているだけだった。

「実際のところ、捜査はどこまで進んでるの？」

不機嫌そうな影が差した彼女の横顔は、しかし、一瞥を送るたびにはっとするほど端正で美しかった。

「実際も何も、巻島がテレビで話してる以上には進んじゃいないさ。今はもう視聴者からの情報に頼るしかない。それを整理して一つ一つ潰していく作業に入ったばかりなんだ」

「裏表なく、本当の公開捜査に徹してるってことね。世間の注目を集めるはずだわ」

「まあ、厳密に言うと、公表してない事実もいくつかは残ってるんだけどね」

植草がぽつりとこぼした言葉に、未央子は「例えば？」と鋭く反応した。

無意識に彼女を焦らした形となって、植草は苦笑する。

「それは未央子でも言えないな。容疑者に犯行を自白させるときまで外部には洩らせないんだ。まあ、被害者の服装とか細かい話がほとんどだから、明かしたところでニュース性はないよ」

そう説明しても、未央子がしばらく恨めしげな視線を外そうとしないのを、植草は視界の

隅で感じ取っていた。

「どれくらいかかるか、計算もつかないのね？」

「明日、明後日でないことは確かだよ。長丁場になるんじゃないかって気はするね。一カ月、二カ月で終わるんならラッキーだと思うよ」

それは植草の読みというより、未央子に不都合と思われる見通しだった。二カ月を超えれば視聴者の熱も冷める。しかし、一、二カ月程度ならワイドショーでも同じネタで視聴者を引っ張ることができる。ライバル番組の首を絞めるには十分な期間だ。未央子もそれに近い読みをしているのだろう。

案の定、彼女は苦々しそうに短い吐息をついた。

「他局もそうだろうけど、うちも来週あたりから川崎事件のニュースを大きくしていこうとしてるわ。今、取材班が休みを返上して動いてるけど、問題はうち独自の切り口が見当たらないってことよ。すべての面で〈ナイトアイズ〉より弱いの。〈ナイトアイズ〉の独占報道の是非を糾《ただ》す方向でって意見もあるけど、今は駄目。世間が〈ナイトアイズ〉の公開捜査に目を奪われて巻島さんの味方についてるから、そんなことやったって逆効果になるだけだしね。このままじゃ泣き寝入りってことよ」

植草は神妙な面持ちで彼女の吐露を聞き留めたが、心情はそれとは別だった。彼女の弱音

「えー、引き続き、神奈川県警の特別捜査本部では皆さんに情報提供を呼びかけております」

いつものように韮沢が告知し、早津がフリップを掲げて連絡先を読み上げた。

そのあと巻島は、さりげなく言葉を添えた。

「一つ皆さんにお願いしたいんですが、このところ捜査本部に寄せられる封書などに、〈バッドマン〉を巧妙に騙《かた》った内容のものが増えてきております。これは捜査の妨げになりますので、ぜひやめて頂きたい。早津さんへの脅迫状にも見られるように、本物の〈バッドマン〉なら本人しか知り得ない話を入れてくるでしょうから、本物か偽物かはすぐに分かります。非常識な行為はどうかご遠慮ください」

巻島が言い終えると、韮沢が口をすぼめて小さく唸った。早津がやや憤慨した口調で、

「本当、そういうことはやめてくださいね」とカメラ目線で言い足した。

ＣＭに入っても、早津はまだ不快さを拭えない様子で、「ひどいですねえ」と巻島に向かって口を尖らせた。

巻島は軽く相槌を打っておいた。

には蜜の味にも似た甘い聞き心地があった。

冷静に思考を巡らしてみる。

植草が持っている切り札は、公開捜査の狙いが〔バッドマン〕からのリアクションを待つことにあるという事実である。これを未央子に渡せば、それは〔ニュースライブ〕のスクープとなり、〔ニュースナイトアイズ〕の公開捜査は足元から揺らぐことになる。

しかしそれでは、この計画の成否に責任を持つ一人として、あまりに背信的である。少なくとも、〔バッドマン〕が実際にアクションを起こすまでは切るべき札ではない。捜査側の狙いを知らせれば、〔バッドマン〕が鼻白んで闇から出てこなくなり、計画はあっけなく水泡に帰す結果となるだろう。この計画に先が見えてしまった瞬間、劇場の魅力は一気に下落する。ひいては未央子も我に返って日常に戻っていくだろう。今の時点で選ぶべき手ではない。

自分が狙うべき道筋は、未央子に頼られる存在になりながら、一方でこの公開捜査を成功させるというところにある。〔ニュースライブ〕を巻き込んで、この公開捜査を社会現象にしていく。そこを目指すべきだと植草は考える。

「迫田和範には当たったのか？」植草は訊いてみる。

「え？」

「彼は別に〔ニュースナイトアイズ〕の専属じゃないだろ。未央子たちは現役捜査員が生出演してるってことで巻島に目を奪われてるかもしれないけど、客観的に見て、迫田は巻島以上の存在感であの特集を盛り上げてると思うよ。本当はあれ、先輩に敬意を表して巻島が引き立ててるところもあるんだけど、視聴者にしたら、さすがに迫田は伝説の捜一課長だっていうふうに見えてるはずだよ。〔ニュースナイトアイズ〕の特集がない日なら、簡単に引っ張ってこれるんじゃないか。迫田を前面に出して事件を独自に検証したら、十分、伍していけると思うよ」

「やだ……」未央子は動揺したように呟いた。しかし、声音そのものは明るいものだった。

「どうして思いつかなかったんだろ」

ほくそ笑む間もなく、彼女は上体を植草のほうに向けた。

「ちょっと戻ってくれない？　局に送って」

思わずという感じで伸びた手が植草の肩に触れた。

「何だよ。十年ぶりのデートだっていうのに」

口先だけの文句は、自然と冗談混じりになっていた。自分の存在が彼女に大きな影響を与えている……その実感が、彼女の身勝手さを包容させた。

「ごめん。でも、他局も動いてるかもしれないし、こうしちゃいられないわよ」

気分が浮き立ったような彼女の口調は、植草にとっては親近感がこもっているようにも感じられるものだった。一つの壁が取り払われ、確実に距離が縮まった気がした。

「仕方ないな」

呟いた自分の言葉はいくぶん気障《きざ》に響いて気恥ずかしくなったが、それも愛嬌だった。十年前とは違う満足感を抱いて、植草は横浜ベイブリッジ行きのドライブを取りやめた。

＊

ニュースナイトアイズ　巻島史彦へ

おい、いつも見てるぜ。もう世の中、俺様のことを忘れちまったと思ってたが、ここんとこずいぶんと派手に取り上げてくれちゃって、照れくさいったらありゃしねえ。ただ、俺様のことを「バッドマン」と呼び捨てにするのは許せねえな。ちゃんと「バッドマン様」と言いやがれ。フハハハハハ。

お前、まじめなツラして事件の説明してるけど、俺様から見ればずいぶんと穴だらけだぜ。

神木本町の竹ヤブじゃ俺様もうっかり落し物をしちまったが、そのこともまったく触れてねえ。見つけられなかったってことはねえだろ。ビートルキングだよ。あれでガキどもを誘い込んだんだ。分かったか？　あれは強いビートルだったのに、まったく惜しいことしたぜ。記念にくれてやるから家宝にでもしろ。フハハハハハ。

今日はこんなとこにしとくか。また俺様の手紙が欲しいなら、今度テレビに出るとき、頭を金髪のモヒカンにしておけ。それが合図だ。フハハハハハ。

じゃあな。阿婆世。

バッドマン

＊

「巻島さん」

月曜日の夜、そろそろ帰宅してミヤコテレビに向かう準備をしなければと考えていた巻島を、津田が呼び止めた。

津田はこの捜査本部に移ってきてからというもの、日暮れとともに仕事を終える古《いにしえ》の人のような生活とは別れを告げ、夜更けまで黙々と仕事をこなす姿を見せるのが当たり前となっ

た。五十代後半の身体にはさぞかしこたえるだろうと思いきや、そんな素振りは微塵《みじん》も窺わせず、一度マンションの風呂に入ってからまた戻ってきたりと、周りも見上げる粘り腰で任務に当たっている。淡々、ひょうひょうとしながらも、激務なら激務に合った生活ができる骨太ぶりは、人生そのものが鍛錬の場であると語っているかのようだ。

その津田が彼にしてはいくぶん硬い表情で声をかけてきたため、巻島は何か予感めいたものを感じた。

津田と西脇はV類の文書を指紋採取作業の終わったものから順に鑑定しているが、夕方前に巻島が一度様子を見に来たときには、西脇が「驚くほど巧妙なやつが増えてきましたよ」と言っていた。

「そのほうがやりがいがあるだろ」

巻島はそう応えておいた。

本日分として届いた郵便物も土曜日に負けず劣らず多かったという。もちろん、それは巻島の読み通りの結果であった。

先週の木曜日のテレビ出演で、巻島は早津への脅迫状を検証し、現在、これを真似したいたずらが増えて困っていると告げた。〔バッドマン〕の〝肉声〟にもう一度スポットライトを当てると同時に、逆説的に心ない視聴者の模倣欲を煽ってみたのだった。しかし、単純に

脅迫状の巧妙な模倣を増やしたいと思ってのことではない。模倣が増えるということは、その劇場がそれだけ魅力的だということだ。そして、魅力的な劇場なら、かつての主役がふらふら戻ってきてもおかしくはない。神の岩戸だろうが極悪人の岩戸だろうが、それを開けるためには踊りを踊るということだ。

この岩戸は開いたのか。

V類の作業室を訪れた巻島に、西脇が一通の封書を差し出してきた。

「ふうむ……」

巻島はじっくりと一読し、深く息をついた。多少ならず、興奮が混じっていた。

我こそが本物だと主張するように、完璧な秘密の暴露がなされている。

「筆跡は同一なのか？」

「オリジナル自体が筆跡を隠した作為的な文字ですから、断言はできませんよ。似ているとしか言えません。もともと筆跡なんて筆記具や書き手の気分や歳月の経過で微妙に変化しますから、指紋や声紋みたいに同一かどうか断言できるものではありませんよ。類似点もありますし、相違点もあります。これが今までのやつと違うのは、やっぱり内容ですよ」

「オリジナルは便箋に細字の水性ペンだったな。それは？」

「これはレポート用紙を縦書きに使ってボールペンで書いてますね。まあ、文字間隔はオリ

ジナルに近いですよ」

早津に最初の脅迫状が送られてきてから九カ月以上が経っている。連続性がないだけに、筆記具や紙が違っていてもおかしくはないか。

何気なくほかの手紙に目を移してみたが、彼らが今日これまでに鑑定した封書の半分ほどがAランクのトレイに入っていた。確かに思わず唸りたくなるほど、どれもオリジナルに酷似している。自分がまいた種とはいえ、その効果には驚きを隠せなかった。ここまでの模倣を誘った以上、真偽の判断は内容でするしかないという西脇の意見は妥当だろう。

「封書の表書きはどうだ？」

早津に送られた脅迫状は当時、ミヤコテレビの各ニュース番組が封筒の表書きも含めた現物の映像を流していたし、その後、新聞などでも鮮明ではないものの現物の写真が掲載されていた。しかし、今回のテレビ出演では封筒の表書きまでは流していないので、そこに書き手の癖が出ている可能性は十分ある。

「封筒は同じ茶封筒ですね」西脇が慎重に答える。「文字の大きさが若干違いますか。オリジナルのほうがやや大きいですね。住所と宛て名の間隔もオリジナルのほうが少し開いてますかね。宛て名は『ミヤコテレビ御中』と『特別捜査本部御中』で両方とも『御中』を使ってます。封はオリジナルが糊付けでこれはセロハンテープです」

消印を見ると、オリジナルと同じ新宿だった。これも公表しているだけに参考にはならないが……。

「よし、分かった。指紋は？」

「オリジナルと比べると、今度は結構付いてますよ。完全なのは少ないですけどね。紙の縁に付いてるやつが使えるかどうかというところです」

「じゃあ、それを照合に回してみてくれ。ニアヒットが出るだけでも構わん」

それから巻島は、文章の中ほど、秘密の暴露をしている部分を黒く潰した手紙のコピーを作ってくれるよう津田に頼んだ。そして、受け取ったそれをかばんに入れて宮前署を出た。

「今日はちょっと番組中に重大な報告をしたいと思います」

本番三十分前、ミヤコテレビ報道局フロアのいつもの一角で韮沢らと簡単な打ち合わせに臨んだ巻島は、気づいたときにはそんな言葉を口にしてしまっていた。

言った瞬間に後悔をした。もっとさりげなく切り出すべき話だった。自覚している以上に、〔バッドマン〕から届いた手紙のことで自分の気持ちが上ずっているのを感じた。

「というと？」児玉デスクが興味深そうに身を乗り出してきた。

「いや、失礼」巻島は目を泳がせて声を落とした。「もしかしたら報告できるかもというこ

とです」

〔バッドマン〕から届いた手紙をどう番組の俎上《そじょう》に載せたらいいのか……淡々と報告するのか、〔バッドマン〕をさらに挑発するのか、どんなふうに料理すれば「次」につながるのか……捜査本部を出てからずっと考えていたのだが、指紋の採取には触れないほうがいいだろうなどといった細かい一つ二つの答えに行き着くのがやっとで、全体的な方向性には何の決定事項も出てはいなかった。考えてみれば今回の公開捜査は、今日のために一つ一つの手を打ってきたようなもので、ここで手を誤れば取り返しのつかないことになるかもしれないのだった。

それこそ、金髪のモヒカンになるべきかどうかまで真剣に検討する必要があるのではないか……しかし、こんなときに限って時間の経過は早く、巻島は焦燥感に呑み込まれつつあった。気負いだけが後先構わず前に出ていき、気づくと迂闊なことを口走っていた。

重大な報告などと言っては、これこそ自分が望んでいた展開だと本音をさらしているようなものだ。隠していた狙いを見透かされてこの番組のスタッフを冷めさせてしまうのは得策ではない。

「何だろう……気になるなあ」

早津が頬をこりこりかきながら、目尻の下がった眼で巻島を覗き込む。

巻島は素知らぬ顔で視線を逸らした。

やはり今日はいったん発表を踏みとどまったほうがいいかもしれない。臆したつもりはないが、このままではあまりにも足元がおぼつかない気がする。一つ懸念があるとすれば、これを次回の木曜日に回すと、先週木曜日の放送を見て金曜日に手紙を出したと思われる〔バッドマン〕へのこちらのレスポンスが、まるまる一週間かかることになるという点だ。一週間のタイムラグは劇場の魅力を削ぎ落とす危険をはらんでいる。

しかし、ここは、〔バッドマン〕の忍耐が人並みにあることを期待するしかない。

「じゃあ、よろしく」

韮沢の一言で打ち合わせが終わり、スタッフが三々五々散っていった。

この日の特集は十時五十五分から始まる予定になっていた。CMを挿んで正味八分ほど。それ以上時間を取ってもらっても、情報を集めての裏付け捜査がようやく軌道に乗りかかったばかりの現状ではそうそう報告する話もない。事件検証のときより半分以下の時間になったが、十一時をまたいで組まれているのは変わらない。誰も口にはしないが、〔ニュースライブ〕の開始時間にぶつけているのは明らかだ。

巻島はいつものように副調整室の片隅に立って出番を待った。十時半になり、中央の大きなモニターに番組オープニングのCG映像が映り、オープニングテーマ曲が流れ始めた。

画面がスタジオ映像に切り替わり、韮沢ら出演者が頭を下げる。

〈こんばんは、韮沢五郎です。また今週も夜十時半からの〔ニュースナイトアイズ〕が始まりました。一週間、よろしくお付き合いください〉

韮沢の淀みない挨拶が続く。

〈今日の〔ニュースナイトアイズ〕は政局、経済関連のニュースをお伝えして、予定通りであれば十時五十五分頃から特集『川崎男児連続殺害事件の謎に迫る』をお送りしたいと思います。本日も神奈川県警の巻島史彦特別捜査官と元大阪府警捜査一課長、迫田和範さんにお出で頂いております〉

韮沢は一呼吸置いてから、少し声のトーンを上げた。

〈巻島捜査官からは何か重大な報告があるということですので、お見逃しなく〉

思わず耳を疑った。児玉らの視線がはっと巻島に向けられた。

やられた。

そう思ったが、非難の矛先はどこにも向けようがなかった。

奥歯をぎりりと嚙む。

こうなったら、発表しないわけにはいかない。嵌められた気がして釈然としないが、それはお互い様ということか。やらないわけにはいかない。

巻島は自分の感情にひとまずのふたをして副調整室を出た。報道局フロアに戻ると、打ち合わせの場所に置いておいたかばんから〔バッドマン〕の手紙のコピーを取り出した。そのままそこに座り、これをどう発表したらいいか、改めて思案を巡らせた。

韮沢が重大な報告との触れを出した以上、それに見合った扱い方をする必要はあるだろう。コピーを広げてカメラで文面を映してもらい、これこそが本物の〔バッドマン〕からの手紙であると説明する。そこまではいい。

問題は、手紙をこの一通だけに終わらせず、いかにして〔バッドマン〕に二通目、三通目を送らせるかということだ。その流れに導いてこそ、〔バッドマン〕の尻尾を掴むチャンスが生まれてくる。

幸い〔バッドマン〕は、「また俺様の手紙が欲しいなら」と、今後のやり取りに前向きな姿勢を見せている。そこをくすぐって、あくまでも冷静に次の手紙を待つのが適当だろうか。それとも、カメラ目線で話しかけ、「お前はどうしてあんなひどい事件を起こしたのか？」と挑発的な質問をしたほうが飛躍的な効果が望めるのだろうか。

この展開が世の中を刺激して、さらに手紙の模倣者が増えることも考えておかねばならない。大量の模倣の手紙の中から毎回本物の〔バッドマン〕だけを見つけ出すのはたやすいことではない。本物の〔バッドマン〕だけが用いる符牒を記してもらうか。それをどうやって

〔バッドマン〕に知らせる？　この番組を使う以上、〔バッドマン〕へのメッセージは同時に模倣者たちにも届いてしまうのだ。

　あらかじめ潰しておいた秘密の暴露を符丁に使うか。ここには捜査本部がマスコミに発表していない現場での遺留品が書かれている。〔バッドマン〕は次の手紙でもそれについて記しておいてくれと。

　まるでクイズ大会のような騒動になるかもしれない。しかし、ほかにやりようがないのも確かだ。

「巻島さん、お願いします！」

　児玉がフロアに顔を覗かせて呼んだ。

　巻島は一つ息を吐いて副調整室に向かった。まだ頭の中で無数の可能性が取捨されていない形で散らばっていた。否応なく流れていく時間に呑まれ、取り返しのつかない失態をさらした六年前を思い出した。あの二の舞いになるつもりはないが、今日も時間は容赦なく巻島に大きな口を開けている。

　副調整室を立ち止まらないままに抜け、スタジオに入った。ちょうど特集前のＣＭが始まったところだった。

　巻島は迫田に会釈を送ったあと、軽く韮沢を睨んでみた。それくらいの意思表示はしてお

いてもいいだろうと思った。しかし韮沢は素知らぬ顔で進行表を繰っている。巻島に席を譲った早津が、代わりに申し訳なさそうな上目遣いで巻島に一瞥を送ってきた。

席に着き、女性スタッフにピンマイクをつけてもらう。

そこへ児玉が駆け寄ってきた。

「捜査本部の方からお電話で、出演前に至急お話ししたいことがあると」

思わぬ言葉に巻島は一瞬、思考が停止した。そこに「CM明け一分前です」との声が割り込んだ。

「ちょっと失礼」

巻島はピンマイクを外すと同時に立ち上がった。

「つないでおいて！」

そんな指示を飛ばす児玉を置いて、巻島はスタジオを出た。児玉が追いかけてきて、保留になっている副調整室の電話を巻島に渡してくれた。

「巻島です」

無理に声を落ち着けて電話を取ると、〈ああ、津田です〉というのんびりした声が届いた。

「津田長……どうした？」

〈ええ、それがですね〉その口調がのんびりとして聞こえたのは巻島自身が切迫した立場に

いるからであって、津田も普段に比べればずいぶん落ち着きを失っている様子であるのがすぐに分かった。〈あれからほかの手紙をチェックしておったんですが、新たにもう一通、〔ビートルキング〕に触れているのが出てきたんです〉

「何……!?」巻島はそれがどういうことなのか訳が分からず、ただ絶句した。

〈ああ、ちょっと待ってください〉

津田が言い、〈四通です。四通〉と、違う人間の声が取って代わった。西脇だ。

〈ざっと内容だけ見てみましたら、手元にある中から四通出てきました〉

四通も……。

「それぞれの筆跡はどうなんだ？」

〈もちろんみんなオリジナルを模してますけど、宛て名書きとか明らかに別人と思われるものもあります〉

「そうか……」

この現象を説明する答えは一つしかない。〔ビートルキング〕は犯人と警察だけが知る秘密ではなかったということだ。巻島はゆっくり回り始めた思考の中で、ようやくそこに気づいた。

「分かった。ありがとう」

巻島は電話を切って、スタジオに戻った。フロアのスタッフがCM明け十秒前をカウントしていた。手早くピンマイクをつけてもらい、反射的に背筋を伸ばしたところで前のモニターに自分が映し出された。

「特集です」韮沢が口を開く。「川崎の男児連続殺害事件では当番組の検証をもとに、視聴者の皆さんから数多くの情報が捜査本部に寄せられています。本日はその情報を受けたのちの捜査にどのような進展が見られたのか、いつものように神奈川県警の特別捜査官、巻島史彦氏にお訊きしたいと思います。また、特別コメンテーターには元大阪府警捜査一課長、迫田和範氏にお越し頂いております。お二方、どうぞよろしくお願いします」

巻島と迫田が同時に首を動かした。

韮沢の進行でこれまでの捜査報告が進められた。捜査本部から児玉宛てにファックスで送っておいたレポートをもとに、新たな目撃情報の代表例を記したフリップが作成されている。一枚目が裏付け捜査の結果、早々と事件とは無関係であることが確認されたもので、巻島がフリップに合わせて一つ一つ説明していった。二枚目は関係性が未確認であるI類のAランクの情報をそろえ、同じような不審者や不審車両を目撃している人へのさらなる情報提供を呼びかけるような形を取った。確認、未確認を問わず、個人が特定されるような情報は除外されているか、表現がぼかされている。

視聴者から寄せられた情報が素材であるだけに、迫田もそれに関してはコメントのしようがないらしく、彼の話は警察の裏付け捜査がどのような形で行われているかを、自らの経験から解説することに終始した。

「いったん、コマーシャルをどうぞ」

CM前に「重大な報告」の話を向けられたらまずいとは思っていたが、迫田のコメントが時間を取ったこともあって、そうはならなかった。

「CM入りました！」というスタッフの声と同時に、巻島はくるりと椅子を回して韮沢と向き合った。

「申し訳ありませんが、『重大な報告』はできなくなりました」

はっきりそう言うと、韮沢は、周囲が今の言葉を聞いたかどうか確かめるように顔を巡らした。それから進行表に目を戻して、大きな独り言を吐いた。

「じゃあ、俺、嘘ついたことになるなあ」

巻島は文句の一つも返したい気持ちを押しとどめて、神妙に頭を下げた。

「申し訳ありません。何とかうまく収めてください」

韮沢はそれについては何も応えず、再び顔を上げて巻島を見据えた。

「結局、重大な報告っていうのは何だったんですか？」

カメラが回っていないだけで、懐を衝くような質問の遠慮なさは健在だった。この空気の中ではごまかし切れず、巻島は事実を答えるしかなかった。

「本物の〔バッドマン〕が書いたと思われる手紙が出てきたので、紹介しようと思いました。ですが、内容を精査した結果、模倣の可能性が高くなったという連絡が入ったものですから、今日紹介するわけにはいかなくなったんです」

韮沢も早津も迫田も、この公開捜査でそんな事態が起こり得ることには気が回っていなかったらしく、それが今回は本物と断定できなかったにもかかわらず、ちょっとした驚きを覚えたようだった。

「なるほど」ややあって韮沢が独りごちた。

「そんなに巧妙なんですか？」と早津。

「巧妙なものが多いです」

CM明け十秒前のカウントが始まり、場の空気から今のやり取りが消されていった。

CMが明け、モニターにスタジオ風景が映ったのと同時に、韮沢は一つ息をついて、レギュラーコメンテーターの杉山に微苦笑を向けた。

「この番組は報道番組という性格上、予告とは違う内容になることは日常茶飯事なんですが、冒頭に『お見逃しなく』とまで言ったニュースをお伝えできないというのは非常に心苦しい

ですね」

それを受けて、杉山も片頬で笑ってみせた。

「この特集のやり方っていうのは、文字通りの公開捜査なんだと思うんですけど、それゆえに公表できることとできないことの選別は実に難しいだろうなと思いますね」

韮沢は一つ頷いてカメラに視線を移した。

「えー、冒頭に申し上げました巻島特別捜査官からの重大な報告については、残念ながらお伝えできなくなりました。不確定な事実が含まれていることが判明したためです。私もＣＭの間に巻島さんから概要をお聞きしましたが、確かに不確定である以上は、お伝えすべきでないと思われるお話でありました」

丁寧な説明に聞こえて、その実、視聴者の興味を惹くような思わせ振りの言い回しだ。巻島は韮沢のしたたかさに舌を巻いた。

韮沢はさらに付け足した。

「ただ、近いうちに改めて皆さんにお伝えできるかもしれないという気はしています」

〔ビートルキング〕の存在がなぜ犯人と捜査当局以外に洩れていたかという理由については、

翌日の午前中に判明した。

ある通信社が配信した第四の事件現場での捜査活動の様子を撮った写真の中に、捜査員が〔ビートルキング〕を自慢げに掲げている姿が写っていたのだった。〔ビートルキング〕は簡単に視認できるほど大きくは写っていないが、かすかに脚も覗いて見え、勘のいい人間が凝視すればそれと分かるだろうと思われる。そんな写真がインターネットのニュースサイトなどに掲載されていたというわけだった。

「またお前か、チョンボッ！」

「チョンボッ！」

〔チョンボ〕とあだ名されている張本人の小川刑事は、同僚たちから遠慮のない罵声を浴びせられ、泣きそうな顔をしていた。

「まあ、済んだことは仕方がない。捜査に支障が出たわけじゃないんだ」

巻島は一応、そんなフォローを入れておいたが、捜査上の大きな秘密が効力をなくし、本物の〔バッドマン〕の発見がより困難になったのは事実だった。

「やっぱり、殺害手口は明かすべきじゃなかったな」

刑事特別捜査隊の一員が軽率な行為を責められているのに乗じて、捜査一課の幹部連中からは、これ見よがしにそんな声が上がった。

西脇と津田は、混乱を生じさせて申し訳ありませんでしたと頭を下げてきた。

「いや、いい。生放送に乗り込んでる以上、ああいうこともあるさ。懲りずにやってくれ」

巻島は柄になく悄然《しょうぜん》とした面持ちの津田らを激励し、この日も増え続けるV類の封書を担当する班に鑑識畑の人間を含めた五人の増員を決めた。

夜には各班からの成果報告を本田に上げてもらったが、何かの予感を感じさせるものは見当たらなかった。

公開捜査が始動してから二週間が経ち、そろそろ捜査も始まったばかりとは言えなくなってきた。〔バッドマン〕からの反応があるかどうかの保証はどこにもない。餌をまき、網をかけて、〔バッドマン〕がそこに引っかかってもおかしくないとの自信はそれなりにある。しかし、これからは日ごとにその自信が揺らいでいくことになるのかもしれない。

「捜査官、今日の新聞のテレビ欄は見ましたか？」

本田にそんな問いを向けられて、巻島は首を振った。テレビ出演の日でもないので、じっくり見てはいない。

「いや、大したことじゃないんですけど、〔ニュースライブ〕でもこの事件の特集をやるらしいんで。それも、『浪速のコロンボが読む』なんて書いてありましたよ」

「……そうか」

川崎事件についてはこの二週間、〔ニュースナイトアイズ〕の独壇場になっていたから、他番組も巻き返しを図ってくる頃だろう。視聴率競争には関わり合いにならないつもりだとはいえ、座間プロデューサーの一人勝ちを誇る笑みがお馴染みとなっていただけに、ライバル局に割を食わせていることには一抹の後ろめたさも覚える。フリーの迫田が引っ張りだこになることで収まりがつくのなら、巻島としても歓迎するべきことであった。

九時過ぎに宮前署を出た巻島は、官舎の自宅に帰って風呂に入り、その後、くつろいだ格好で居間のソファに腰を預けた。

園子が切ったキウイを口にしながら、しばらく漫然と〔ニュースナイトアイズ〕を見ていたが、十一時を回っているのに気づいて、〔ニュースライブ〕にチャンネルを合わせてみた。

迫田がいきなり映っていた。新聞記者上がりでジャーナリストの門馬厚《もんまあつし》と何やら会話を交わしながらどこかを歩いているVTRだ。第一の事件現場近くだとすぐに気づいた。

迫田に門馬とは〔ニュースライブ〕もずいぶん気合が入っている。この二人が現場を歩くだけで、大した話をしていなくても絵になる。実際、会話の内容は〔ニュースナイトアイズ〕の特集を超えるものではない。多少、彼らは自由な立場で物が言える分、視聴者の興味を惹くような憶測めいた話も飛び出すが、それは客観的に聞いていても説得力のあるものではない。その部分においては〔ニュースナイトアイズ〕の公開捜査に太刀打ちできていると

は言いがたい。

〈現場を回って頂きました迫田さんと門馬さんです〉

スタジオに映像が移って、迫田らが座っている姿が映し出された。キャスターは局アナの井筒孝典と杉村未央子だ。

〈迫田さんは、これまで神奈川県警が捜査に苦戦している理由は、どのようなところにあると思われますか？〉

迫田は一つ喉を鳴らしてから答える。

〈どうも実際の目撃者が非常に少ないんやないかと思いますな。皆無ではないんでしょうが、警察が捜査の初期段階で事実関係の公表を積極的に行わなかったために、その後の目撃者情報の収集が効果を上げなかったというふうには言えるかもしれません。この事件は快楽殺人の範疇に入ると思いますけど、犯人は殺害行為そのものにも増して、いかに首尾よく犯行をこなすかという点にも快楽性を見出しておるような気がします。五、六歳の男の子というのは親御さんの監視のないところで遊び回る年頃で、しかもその上の年代ほどは世間ずれしていない。すなわち、この子供たちは犯人にとって狙いやすかったから犠牲になったんでしょうな〉

〈そういうところにも、この犯人及び事件の特徴が見て取れるわけですね？〉

〈そうです。無差別殺人でありながら計画性がある。そこに早くから目を向けておれば、捜査のやり方も違ってきたんやないでしょうか〉

そのあと、無差別殺人が増加している近年の社会情勢について門馬が言及し、再び迫田に話が向けられた。

杉村未央子が訊く。〈迫田さんは捜査本部の幹部の方とよくお会いされているようですけど、何かお聞きになってらっしゃることはありますか？〉

〈いや、一緒に番組に出演させてもらっとるだけで、特別なことは何も聞いとりません〉迫田は自嘲の笑いをかすかに混ぜて言う。

〈実際に捜査はどう進展していると見てますか？〉

〈現在、目撃情報の収集を前面に出して、それを軸に捜査を組み立てておるようですが、今のところ事件の解決に直結するような情報は得られておらんようですな。なかなか難しいところだと思います〉

〈このまま現状のような停滞が続くとすると、今後の捜査にはどんな手が打たれると思われますか？〉

この杉村の質問は巻島の耳に引っかかった。淀みのない言い方を含め、まるで何かの話を引き出す打ち合わせ通りの質問のように聞こえた。

〈うーん、これはそれほど簡単な話でもなくてですな、捜査本部はテレビで情報提供を募りながら、もう一つの狙いも持っとると、私はそう見ておるんです〉

〈というと?〉

〈先週、捜査指揮官がテレビでこう言ったんですよ。『〔バッドマン〕の手紙を模倣するのは、捜査の妨げになるからやめてほしい』と。これが一つのヒントになっとると思うんですな。つまり逆に言うと、捜査本部は本物の〔バッドマン〕からの手紙を待っておるんじゃないかということです〉

杉村は息を吸い込むような間を取った。

〈そうすると、警察としては、犯人と、テレビカメラを通して双方向のコミュニケーションを取ろうという意図を持っているわけですか?〉

〈だと思いますな。それを突破口にして犯人に接近したい……捜査本部はそう考えとるでしょう〉

巻島は思わず舌打ちをし、次いで唸り声を上げていた。

迫田に守秘義務などないのだから、こちらの動きを読み取った見解をスクープ的に披露されても非難できる筋合いのものではないということか。それにしても、公共の電波で言ってほしいことではなかった。迫田が〔ニュースライブ〕に出演することなど知らなかっただけ

に、昨夜スタジオで「重大な報告」問題があったときも、彼に対してまではフォローしていなかった。海千山千の彼なら、あのいきさつだけでここまで読むのも当然と言えば当然だ。

〔バッドマン〕がこの番組を見ていないことを祈りたいが、どちらにしろ、ほかのメディアがこのことを取り上げれば関係はなくなる。迫田が言ったような狙いが本当にあるのかどうか、報道陣から捜査本部に問い合わせが来るのも間違いない。

網をかけていることを知った魚がのこのことやってくるだろうか。

巻島は捜査の見通しに暗い紗がかかったような気持ちにさせられた。

そのまま〔バッドマン〕のいる闇も深まりを増し、その姿は想像でも見えなくなる。

＊

迫田が〔ニュースライブ〕に出演した翌日、植草は巻島とともに本部長室のドアを叩いた。

「下手を打ったな、巻島」

デスクの前に直立する植草と巻島を睨め上げた曾根本部長は、今日ばかりは失笑を付け加えなかった。

「迫田に洩らしたか？」

「直接、情報を与えたわけではありません。あの人とは打ち合わせも別ですし、お互い私語も交わしません。ただ残念ながら、こちらの動きからそういう気配を嗅ぎつけられてしまったようです」

本部長から殺気立った視線を投げかけられても、巻島は淡々として見えた。

「あのクソジジイめ、勘だけは働きやがるな」

本部長は舌打ちとともにそう吐き捨て、再び巻島を睨めつけた。

「で、お前、どうするんだ？」

巻島の横顔に変化はない。

「基本的な方針は変更しません。ただ、〔バッドマン〕からのアプローチを得るために何か考えたいと思います」

「二人で相談して何とかしろ」

本部長は椅子の背もたれに背中を預けて、もう行けというように顎をくいと動かした。

「何か考えはあるんですか？」

廊下に出たところで、植草は巻島に訊いた。

「とりあえず、開き直るしかないかと思ってます」

「というと、〔バッドマン〕からのアプローチを待っていると……」

「ええ、公言します。もちろん、番組内で」

「そうですか……まあ、こうなったら、そうするしかないかもしれませんね」

〔バッドマン〕からまだ何のアプローチもないうちに捜査本部の目論見が見透かされてしまったのは大きな痛手に違いなかったが、巻島がすでに次の手を視野に入れていて、受けたダメージがそれほどでもなさそうなことに、かすかにあった植草の罪悪感も消えた。

罪悪感の代わりに浮かんだのは、決して小さくない愉悦感だった。

〔ニュースライブ〕は植草が助言した通り、迫田の起用がまんまと嵌まった。この劇場型捜査はとうとう〔ニュースライブ〕をも巻き込んで、さらにセンセーショナルになろうとしている。

自分の役もますます増えてきそうだと植草は思う。

「会議、同席しますよ」

植草は巻島の背中を追いながら、緩みかけていた口元を引き締めた。

＊

「我々は〔バッドマン〕からのメッセージを待っています」

木曜日の〔ニュースナイトアイズ〕で、巻島はカメラを前にそう言い切った。それまで一般マスコミには、「〔バッドマン〕からの封書等が送られてくる事態も想定していないわけではない」というような言い回しで言葉を濁していたが、それでも、捜査本部がそれを狙っているのはもはや疑いのない事実だという論調が各メディアにできつつあった。巻島はそれを認めた形になった。

「なぜこのような事件を起こしたのか、今、何を考えているのか、我々は〔バッドマン〕本人の言葉を聞きたいと思っています。何か言いたいことがあるはずです。我々はそれを聞く用意があります。そして、それに対する返事を約束します。

ただ一点、その封書が明らかに〔バッドマン〕本人のものであるという証拠を記してもらわなければなりません。それは、一連の事件について捜査本部が発表していない事実を文章に含めるということです。〔バッドマン〕と捜査本部だけが知っている事実です。例えば、第二の事件、桐生翔太君の服装の特徴、子供たちに与えた菓子やジュースの銘柄、第四の事件、小向音樹君の帽子のブランド、などなどです。

もう一度、言います。我々、いや私は〔バッドマン〕と直接、言葉のやり取りをしたいと思っています。宛て先はこちらに」

巻島はフリップに手書きした郵便番号と住所、「宮前警察署特別捜査本部　巻島史彦」の

文字をカメラに向けた。

巻島が赤ランプのついたカメラに視線を向けながら喋っている間、〔ニュースナイトアイズ〕にはいつもの〔ニュースナイトアイズ〕ではない独特の空気が生じていた。韮沢や早津が主役の報道ではなく、巻島と〔バッドマン〕が主役の、報道と似た何かだった。ほかならぬ巻島自身がその空気を感じていた。

番組開始前の打ち合わせで今日の方針を提案したときから、空気が微妙に変わった感覚はあった。韮沢も番組を前にしているだけに慎重な態度だった。渋い表情を作って考えあぐねる様子を見せていた。しかし、初顔合わせのときとは逆に、この特集が社会問題化することを是と捉えるようになっていた座間プロデューサーの前向きな姿勢も後押しし、最後には「やってみるしかないな」との言葉が韮沢の口から洩れた。巻島がすでに〔ニュースナイトアイズ〕に幾度かの出演を果たしているという既成事実があり、それがなし崩し的な効果を及ぼしたことも確かなようだった。

ともかく、ここで公開捜査が破綻するという結果は避けられた形となった。

出演が終わってスタジオを離れるとき、珍しく迫田のほうから声をかけてきた。

「あんた、〔バッドマン〕からのアプローチがあったとして、それをどうやって捜査に結びつけるつもりなんや？ 指紋が採れそうなんか？」

確かにオリジナルを見る限り、〔バッドマン〕は便箋への指紋の付着に完璧な注意を働かせているわけではない。だから、新たな手紙を受け取ることによって、照合に使える指紋が得られる可能性は十分あるし、実際その期待は高いわけだが、それをそのまま迫田に話すつもりはさらさらなかった。

「あまりそういうことには期待してません。まあ、〔バッドマン〕と打ち解けたら、胸に赤いバラでも挿して、どこかで待ち合わせしようかと思ってますよ」

そう応ずると、迫田の顔から柔らかさが消え、「ふん」と不機嫌に唸る声が返ってきた。

6

ニュースナイトアイズ　巻島史彦へ

お前の熱烈なラブコールにこたえて書いてやるぜ。俺様こそ正真正銘、本物のバッドマンだ。お前、俺様の言葉を聞きたいらしいな。事件のことや今の俺様のことを知りたいらしいな。教えてやってもいいぜ。今の俺は理想の国家を作るためにいいアイデアを練ってるところだ。ガキどもの青田買いはもうやめた。やっぱりこの世の中に不満を持ってる連中を扇動したほうが早いってもんだ。そのうちこの日本にバッドマン王国が忽然と出来上がるだろうから楽しみに待ってな。フハハハハ。

おっと、俺様が本物のバッドマンか疑ってやがるな。いいとも、証明してやろう。俺様がガキどもに与えてやった菓子はうまポテトやチョコグルメだ。ジュースはいつもあっさりオ

レンジだったな。二番目のガキの服は確か、上がエンジのTシャツで下がジーンズの短パンだったはずだ。こんなとこで十分だろう。また書いて欲しかったらラブコールするんだな。

フハハハハハ。

じゃあな。阿婆世。

バッドマン

＊

「どう思う？」

巻島は文書を一読して、V類を担当する七人に視線を巡らせた。

「おそらく本物だという意見で一致しました」西脇が慎重な口振りながら、はっきりと言った。「文字の大きさや文字間のバランスが極めて似ていますし、便箋が同じ、ペンも同一種だと思われます。〔ビートルキング〕のときより可能性としては数段高いと言っていいかと思います」

「ふむ……」

津田と目を合わせると、彼も小さく頷いた。

先週の木曜日に〔バッドマン〕へ直接呼びかけて、そしてこの火曜日。V類に仕分けられたトータル九百二十通の中からこの一通が出てきた。

昨夜のテレビ出演で巻島はもう一度、〔バッドマン〕に呼びかけている。次の出演は木曜日の予定だ。しかし、それでは日にちが開き過ぎる気がする。

「指紋は？」

「部分的な掌紋が一箇所、書き出しのところで採れてます」西脇が答える。「さて、どう書こうかと手を止めたときに付いたような感じですね。あとは擦過痕がいくつか……」

消印は横浜中央、昨日の八時から十二時。ポストの収集時刻にもよるが、日曜日の午後あたりから月曜日の朝までに投函されたと思われる。

「分かった。掌紋は照合に回してくれ。それから秘密の暴露部分を隠したコピーを一部」

巻島は自分が使っている別室に移ると、〔ニュースナイトアイズ〕の児玉のところへ連絡を入れた。

「昨日はどうも」

巻島は挨拶もそこそこに、本物の〔バッドマン〕からと見られる封書が届いたことを告げた。児玉も一気に緊張した声音に変わった。

〈それで……それは今日の番組に載せられるんですか？〉

「それをこちらからもご相談しようと思いまして」

〈いや、番組的にはまったく問題ないですよ。私が何とでもしますから。ああ、ただ迫田さんはたぶん〔ライブ〕の日だから呼べないかもしれませんけど……でも、やりましょうよ〉

「分かりました。その予定でお願いします」

前回の「重大な報告」騒動では、どのようにそれをカメラの前で報告したらいいのか直前まで腹が決まらなかったが、今回はそのときの心境とは違う。すでに〔バッドマン〕への呼びかけという、いわば開き直った手段を使っているだけに、もはや婉曲的なやり方を探す必要はなくなった。

その後、巻島は県警本部の植草と連絡を取った。植草もまた興奮気味の口調で待ちに待った展開に反応した。

「今夜、発表するわけですね？」植草が念を押すように訊く。

「そうです。番組サイドにも都合をつけてもらうよう話してあります」

通常の特集の日ではない今夜、〔バッドマン〕が番組をチェックしていない可能性もなくはないが、それよりは自分の出した手紙にいつ反応が来るか、毎晩番組をチェックしている可能性のほうが高いというものだろう。キャッチボールに余分な間合いはないほうがいい。

〈これからが正念場ですね。気を引き締めて行きましょう〉植草が上司らしい台詞を送って

「とりあえず今から幹部会議を開こうと思ってますが」

会議に顔を出すことが当たり前になりつつある彼を気遣って、巻島は一応の断りを入れた。

〈あ、僕も出ますよ。待っててください〉

事態が動き始めて、じっとしていられないという言い方だった。

植草の到着を待って、夕方前に臨時の幹部会議を招集した。〔バッドマン〕から送られてきた手紙のコピーを参席者に配布して、それについての報告を行った。各捜査班が追っている行動確認対象者の中で、日曜日から月曜日の午前中にかけて封書を投函した者がいないか確認を進めるよう通達した。また、今夜巻島が臨時にテレビ出演して〔バッドマン〕へ返答するため、不審な行動が確認できなかった対象者はすみやかにマークから外し、新たな対象者をリストから選んで、ここ一両日の監視を強化するよう付け加えた。

「行確で手紙の投函をチェックすることについては、公開捜査では触れない、我々の裏の動きでもあります。任務は慎重に、マスコミ等に対しても目立たない形で行うよう指導してください」

最後にそんな注意事項を付け足したところで巻島は会議を締めた。

夕方には、ミヤコテレビに出社した児玉と電話で打ち合わせをした。巻島の出番は番組の冒頭、トップニュースで、ということに決まった。夜になり、巻島は番組出演用の服に着替えるため、いったん帰宅することにした。

署の外に出てみると、巻島の車の前で記者らしき男が一人張っていた。

「捜査官、これからどちらへ？」

周囲を窺いながら、殺した声で訊いてくる。

「家に帰るよ」巻島は素っ気なく答えた。

「そうですか？　ちょっとお急ぎの感じにも見えますが」

巻島は車のドアを開ける手を止めて、後ろの記者に目を向けた。確かに気持ちとしては慌しいが、それをことさら素振りで見せた覚えはない。ずいぶん勘のいい記者だなと思った。

「君はどこの社？」

「第一テレビです」

〔ニュースライブ〕の局だ。〔ニュースナイトアイズ〕と正面からがっぷり組もうとして神経を張っているわけか。

「何か動きでも？」

記者の口調はほとんど確信を持っているようでもあった。

「あるとしたら、記者クラブに連絡が行くだろう」

「あれもひどい話ですよね。直前に連絡が来るんだから、対応し切れませんよ」

巻島は聞き流して、車のドアを開けた。

「出演ですか、今日？」

「見て確かめたらどうだ」

巻島のその答えをイエスと受け取ったらしく、記者は質問を重ねてきた。

「出るってことは、あれが来たってことですよね。そうするとトップですか？」

巻島はそれ以上相手になるのはやめ、車に乗り込んでドアを閉めた。

記者のほうは今のやり取りだけで収穫を得たと判断したらしく、携帯電話を出してどこかへ連絡を取り始めた。

確かに、いきなり報道資料を配られるのと、事前に何の発表がありそうか薄々察しているのとでは、対処の仕方も違ってくるだろう。〔ニュースライブ〕なら、番組中に待ってましたと取り上げることができるかもしれない。

それにしても勘のいい記者だな……巻島は改めて思い直しながら、車を発進させた。

「えー、本日のトップニュースです。川崎男児連続殺害事件の犯人、自称〔バッドマン〕か

らのものと見られる手紙が今日、特別捜査本部のある宮前署に届いていたことが明らかになりました」

韮沢の声は普段よりいくぶん硬く、同時に張りが増していた。

手紙が鑑定され、本物の〔バッドマン〕のものであると判断されるまでのイメージ映像がドキュメンタリータッチのナレーションとともに流された。

それが終わると映像はスタジオに戻り、巻島が映し出された。

「本日は急遽、お馴染み神奈川県警の特別捜査官、巻島史彦氏にお越し頂きました。巻島さん、よろしくお願いします」

「こちらこそ」

「で、こちらが〔バッドマン〕が送ってきたものと見られる手紙のコピーだということですが……」

「ちょっと読んでみますね」

早津が手紙のコピーを貼りつけたフリップを立て、黒く塗り潰した部分以外を朗読した。

続いて韮沢が巻島のほうに心持ち身を乗り出した。

「以前、〔バッドマン〕を模倣した手紙が届いているとおっしゃってましたが、それが模倣であって、これが本物であると判定された理由というのは？」

「はい」巻島は答える。「ここの塗り潰してある部分には、犯人と現場を検証した捜査本部しか知り得ない情報が書かれています。被害者の子供たちに分け与えた菓子の銘柄ですとか、マスコミ発表に載っていない子供の服装の特徴などです。これは一般の模倣者に書ける内容ではありません。それから便箋の種類や文字の体裁、宛て名の書き方などもオリジナルと呼んでいる早津さんへの脅迫状のものとほぼ一致しています」

「オリジナルを受け取った早津さんはこれを見てどう思いました？」韮沢が早津に視線を移した。

「いや、まさに私が受け取った手紙の雰囲気そのままなんで、ぞっとしました」

韮沢は一つ頷き、「おそらく〔バッドマン〕は今夜もこの番組を見ていることでしょう」とカメラ目線で言った。

それから巻島を見て話を進める。

「内容について、巻島さんはどう読まれましたか？」

「ええ、これだけの文面から〔バッドマン〕の心理と環境を読み取るのはなかなか難しいんですが、二つ言えることがあるとすれば、一つは彼自身、すでに幼児児童を巻き込むような犯罪行為から一歩引いた心理状態にあるということです。連続事件というのはまさしく犯罪心理の連続性によって惹き起こされるものですが、最後の事件から九カ月以上が経過した今、

その連続性が途切れた形になっていると言えるでしょう。なぜ、そうなったのかは分かりません。私はそれを知りたいと思います。もう一つは〔バッドマン〕がいまだ、この世の中に対して何らかの不満を持っているということです。具体的に何なのかは分かりません。それも私は知りたいと思っています」

「ここに、また書いてほしかったらラブコールしろとありますけど、巻島さん、何かあれば」

「はい……では、言わせてください」巻島は赤ランプのついた正面カメラを見据え、一呼吸置いてから続けた。「〔バッドマン〕に告ぐ。また私に手紙を出してほしい。君の考えがもっと知りたい。なぜ事件を起こしたのか、もっと具体的に話を聞かせてほしい。子供を舎弟にして理想国家云々という話を私は信じていない。一人の人間が越えてはならない一線を越えてしまった……どうしてもそうしたかった理由があるはずだ。それを教えてほしい。人間同士、本音をさらけ出した話がしたい。次の手紙には符丁としてもう一度、スナック菓子の銘柄を記してほしい。それから今後、このやり取りを円滑に続けるために、暗号を一つ添えてもらいたい。これからはそれが君の手紙だという印になる。以上」

出演を終え、ドーランを落とした巻島は、報道局フロアに設置されたモニターの前で帰り

の足を止めた。

〈この手紙をきっかけにして、警察はどう犯人に迫ろうとしていると迫田さんは思いますか?〉

〈いや、これがすぐさま犯人逮捕に結びつく手になるとは考えられないんですなあ。まあ、投函した場所や時間帯から犯人の生活習慣なんかが浮かび上がってくることもありますが、まあ、それだけではなかなか……というところですしな〉

モニターの一つが〔ニュースライブ〕を流しており、迫田と門馬が公表されたばかりの〔バッドマン〕の手紙について、ああでもないこうでもないと意見を交わし合っていた。

「迫田さんでもこれは苦しいなあ」

巻島と一緒にモニターを見ていた児玉が、臨場感ではうちの圧勝だとばかりに、したり顔をしてみせた。〔ニュースライブ〕は独特の嗅覚で先回りの取材を重ねていたようだが、児玉も言ったように、その執念が反映されているとは言いがたかった。現役捜査官が出ているかどうかでインパクトがまったく違ってくる。当人の巻島としても、それは感じざるを得ない。今日は同じニュースが二つの番組で前後しただけに、はっきりとその差が出た格好となった。

「児玉さん、川崎事件の件で視聴者から電話ですよ」

近くのデスクについていた報道局員が声をかけてきた。

「早速、反響が来ましたよ」

言いながら、児玉は近くの電話に取りついた。

「お電話代わりました」

しばらく電話の声に耳を傾けていた児玉は、やがて慇懃に返事をして受話器を置いた。

「クレームでした」児玉は舌を出して言った。「何だか今日の巻島さんは、凶悪犯を手厚く遇してるみたいで不愉快だったって」

巻島は微苦笑で返しておいた。こういう展開になれば、早晩そんな反応もあるだろうとは思っていた。極悪非道な人間を喜んで舞台に上げようとしているのだから、見方によっては気分のいいものではないだろう。

「児玉さん、電話出てくれます？」

遠くからも声がかかり、児玉は巻島に肩をすくめてみせた。

「じゃあ、私はここで」

劇場を取り巻く温度が微妙に変化しつつあるのを感じながら、巻島は局を辞した。

＊

巻島史彦へ

おいおい貴様、いい加減にしろ。本物のバッドマンからの手紙が届いただと。紛い物に騙されやがって、笑わせるんじゃねえ。何が理想国家だ。俺が作りたいのは理想社会だ。国なんてもんには興味はねえ。いいか、俺がお前に手紙を出すのはこれが初めてだ。クイズのような問題にたまたま当たったやつがいたからって、俺様と間違えてもらっちゃ困るぞ。俺様にあこがれるやつがいるのは分かるが、偽者がまかり通っちゃ黙っていられねえぜ。ちゃんと俺様が本物だってことを分からせてやる。ガキどもにくれてやった菓子はチョコグルメやうまポテトだ。二番目のガキが何を着てたかだって覚えてるさ。ベージュ色のTシャツに膝丈のジーパンだ。靴はマンガがついてたな。最後の事件のガキがかぶってた青い帽子はジョイだ。そいつはほっぺに絆創膏を貼ってたな。それだけじゃねえ、俺様はガキに黒のビートルキングを見せてやったんだが、帰るときにビートルの汚れを拭いてたら、うっかり手を滑

らせてヤブの中で落としちまった。お前ら本当は見つけてんだろ？　前におもちゃがどうとか言ってやがったもんな。

どうだ。今すぐ偽者の手紙は破り捨てちまいな。聞きたいことがあるなら、改めて俺様に聞け。男同士、腹を割って話そうじゃねえか。フハハハハ。

俺様の名前の前に暗号をつけておいてやるぜ。これが書いてあるものだけが俺様の手紙ってわけだ。

早津、いい気になるなよ。

じゃあな。阿婆世。

帰ってきたバッドマン

＊

新しい週が明けた月曜日の昼過ぎ……この手紙を囲んで、V類の担当班は声をなくしていた。

「本物だな」

沈黙を破って、巻島は呟いた。

便箋の種類もオリジナルと同一であり、ペンも同じと見られる。文字の大きさ、バランス、体裁も共通性が強い。

「私もそう思います」西脇が声を絞り出すようにして言った。「筆圧の加減とか文字の角の付け方とか、オリジナルそのものです。これに比べれば、テレビで公表したやつはせいぜい八十かそこらの確率しか与えられないなと思います。これは九十九パーセント本物です」

そう言ってから、西脇は巻島に頭を下げた。

「申し訳ありません。無用な混乱を惹き起こしてばかりで」

「いや、気にするな。これがまさしく本物の〔バッドマン〕というなら、捜査はとにもかくにも動いてるということだ」

「しかし、先週の本物と思ったやつは何だったんでしょう」西脇が釈然としない顔をして言う。「下手すると〔ビートルキング〕みたいに、ほかにもまだ世間に洩れてる事実があるって可能性も……」

「そこまで気にかけてたら、きりがないさ」巻島はかぶりを振った。「本物がようやく出てきた。それでいいじゃないか」

先週の火曜日の放送を受けて、先週の時点では本物と思われていた〔バッドマン〕からの返答がすぐに届いていた。巻島は先週木曜夜の〔ニュースナイトアイズ〕に出演して、再び

その〔バッドマン〕に、さらなる手紙を送ってくるようメッセージを送った。掌紋が採れて一喜し、犯歴照合でヒットせずに一憂した。

それらはまさしく茶番だったことになる。先週一週間は偽の〔バッドマン〕に振り回されたわけだ。だが、それで本物の〔バッドマン〕が現れたのだから、結果オーライとも言える。消印は渋谷。

「この、『ベージュ色のTシャツ』というのは少し引っかかりますな」

マイペースな口調で言葉を挿んできたのは、津田だった。

「ええ……確かに正解は臙脂色《えんじいろ》なんですよね」西脇が応える。

「色ですからね。多少の記憶違いはあるでしょうね」

班員の一人がそんな言い方で説明をつけようとする。

「しかしですな」津田がもう一つ納得いかないように渋い顔をする。「ほかは靴の絵や絆創膏なんかもちゃんと憶えてるわけでしょう。この犯人、もしかしたら犯行メモを残してるかもしれない」

「ああ……快楽殺人ですからね。それはあるかもしれませんね」

「それなのに、自信を持って書いてるように見える服の色が違うというのは……」津田は呟くように言って唸る。

確かに、ベージュと臙脂では色合いにかなりの差がある。ベージュはどちらかと言えば明るい色であり、臙脂は暗い色だ。しかし、それを今考えても仕方がない。

「まあいい。指紋はどうだ？」巻島は西脇に訊く。

「オリジナルと同様で、はっきりしたやつは付いてないですね。紙に手を押しつける圧が足りないのか、手の動きがせわしないのか、あるいは手を洗ってから書いてるのか……この犯人独特の書き癖でこうなってると思います」

「意識的に紋が付かないようにしてるわけでもないんだな？」

「だと思いますね」西脇は頷く。「あと、封筒からはいくつか紋が採れてますけど、これは郵便局の集配ルートをたどって関係者指紋を除いてみないと」

「分かった。その手配は本田に頼んでおこう。じゃあ、とりあえず例によって潰すべきところを潰したコピーを作ってくれ」

先週の判断を覆す以上、捜査本部内の混乱を鎮めておくことが先決だと思い、巻島は植草への報告を後回しにすることにした。彼を捜査本部に呼んでいる時間もない。

巻島は臨時に幹部たちを集めて、現状の報告をした。本物の〔バッドマン〕が手紙を投函したと思われる木曜日の夜から金曜日の朝にかけて、網をかけている行動確認対象者が郵便物を投函していないかをチェックすること、あるいは、IからⅣ類の郵便物の中に、〔バッ

ドマン」と同種の便箋やペンを使ったものがないかどうか確認することを要請した。後者のほうは、〔バッドマン〕が捜査の攪乱を狙って、これまでに虚偽の情報を送ってきている可能性もあると踏んでのことだった。

「まったく……」捜査一課の管理官、藤吉がコピーに視線を落としたまま、不機嫌そうな呟きを発した。「今度こそ間違いなく本物なんだろうな」

「何もなければ以上で」巻島はそれを無視して会議を締めようとした。

「一つ報告させて頂きますが」必要以上にゆっくりとした調子で言いながら、捜査一課の係長、中畑が挙手をした。

「どうぞ」

「このところ、社会的に〔バッドマン〕を英雄視する空気が生じ始めていて、元をたどると巻島捜査官がそれを助長している……あるいは、巻島捜査官が〔バッドマン〕に媚びる姿は実に見苦しい……さらには、テレビで盛んに〔バッドマン〕、〔バッドマン〕と巻島捜査官が嬉々としてラブコールを送るのは、被害者遺族の感情をないがしろにした、まったくもって不届き極まりない行為である……と、いろんな声が巷では飛んでおりまして、そんな投書が情報の仕分け作業等にも支障を来《きた》していると聞いていますし、外回りの捜査員の士気にも影響を及ぼしているわけなんですが」

言い終わると、中畑は人を食ったように鼻毛を抜いた。

「多少の障害はこの捜査に付きものだと考えてください」巻島は冷ややかに受けた。「被害者の会からクレームが来てますか？　来てないなら気にすることはない。我々はいつもより注目を浴びているだけのことです」

中畑がしらけたようにあらぬほうへ目を逸らしたのを返答と受け取って、巻島は散会を伝えた。

「迷走ですな」

中畑は周囲に聞こえるような大きな独り言を吐いて部屋を出ていった。

ほかの幹部らも冷たい空気を残して次々に退室していき、本田だけが最後に残った。

「順風だ」

巻島が言い、本田と二人、失笑を交わし合った。

しかし、本田はすぐに笑みを消した。

「実は先週末にこんな手紙が届きまして、私の預かりにしてあるんですが」

彼は落とした声で言い、一枚のコピー用紙を巻島に差し出してきた。

近頃、世間を賑わす滑稽なもの。

その昔、己の尻尾を嚙んだ哀れなドブネズミ。今は落ちぶれ、見世物小屋行き。毒に酔って破廉恥踊り。英雄気取りも嘲笑の的。見るに堪えない醜悪ぶり。末路に光はなく、毒の回ったネズミはいずれ無様に悶死するだろう。ワシはただ、それだけを楽しみに待つとする。

一読して、巻島は喉がぎゅっと締めつけられるような窒息感に襲われた。顔が火照り、不快なざわめきが神経を駆け巡った。

長く沈黙を挿んで気持ちを落ち着けた。本田も声をかけてこようとはしなかった。

筆跡や体裁は似ている。とはいえ、〔ワシ〕も〔バッドマン〕と同じように作為的な文字だけに模倣は利く。

「指紋は？」

「出てません」

「そうか……分かった。預かっとく」

「どう思いますか？」

本田の問いに、巻島はかぶりを振っただけだった。

「郵便物にしろメールにしろ、ここんとこ、巻島捜査官は六年前の事件のあの人だろうって

いう声が多くなってきてます」

「別に隠してるわけでもないさ」

そう応えると、本田は口元だけで笑って、部屋を出ていった。

巻島は電話を取って、村瀬の携帯電話につなげた。

「巻島だ」

〈ああどうも、お疲れさんです〉

「今いいか？」

〈いいですよ〉いつもと変わらぬ気さくな口調で村瀬が応じる。

「有賀はここんとこ、どうしてる？」

〈相変わらずの引きこもりですよ〉

「先週、手紙か何かをポストに入れたことはなかったか？」

〈彼がですか？　ありませんねえ。先週は一回も外に出てませんよ〉

「そうか……母親は？」

〈母親にしても暗い顔してパート先とスーパーと家を行き来してるだけですから……そういう報告は上がってませんねえ。どうかしましたか？〉

「いや、ならいい。ありがとう」

巻島は電話を切り、手紙のコピーの上に吐息を沈滞させた。静かな部屋に一人身を置き、我に返って感じるものは、やはり言い知れぬ薄気味悪さだった。

この週から巻島は、番組出演の日については〔バッドマン〕からの手紙を受けてから決めたいと児玉に申し入れていた。ただ、先週巻島たちが〔バッドマン〕だと認めた者からの返答が先週末にも届いていたので、月曜日の出演はすでに決まっていた。迫田の出演も問題なく取りつけることができたらしい。

出演の確認を児玉と済ませてから、巻島は県警本部に出向いた。植草に今日判明した新たな〔バッドマン〕の件を報告すると、彼は口を半開きにして呆れたような表情を見せた。

「どうしてそんなことが起こったんですか？　それじゃあ、先週のあれは何だったんですか？」

「分かりません。誰かが当てずっぽうで書いてきて、それが当たる可能性がゼロではなかったということでしょう」

「そんなことがあるんですか？」植草は独り言のように言い、それから巻島を当惑気味に見た。「こんなことがたびたび起こると、世間からしたら、捜査本部がいいように振り回されて、パニックに陥っているように見えますよ」

「申し訳ありません。でも、本部長が言うように……」

「これが劇場型捜査だ……ですか？」

「ええ」

巻島が素っ気なく頷くと、植草は嘆息してみせた。

「分かりました。ここで言ってても始まらない。今の事態に粛々と対応していくしかないでしょうね。本部長には私から報告しておきますよ」

「お願いします」

巻島は軽く頭を下げて植草のもとを辞した。


新たな〔バッドマン〕からの手紙が届いた事実は、この日の〔ニュースナイトアイズ〕のトップニュースとして取り上げられた。

巻島は早津名奈宛てに送られてきたオリジナルと先週の時点で本物と判定された〔バッドマン〕の手紙、そして今日、新たに本物と判定された〔バッドマン〕の手紙、それぞれの筆跡を拡大したフリップを並べ、オリジナルと新たな〔バッドマン〕の筆跡に、細部にわたって同一性があることなどを説明した。秘密を暴露している部分については触れられない以上、そうしたやり方が一番手っ取り早かったし、実際、説得力もあるように思えた。

「そうすると、先週のこれは、奇跡的に条件をクリアしたゆえに捜査本部の鑑定の目をくぐり抜けてしまったわけですね?」

出演中に発表を土壇場キャンセルした先々週の手紙の件も含め、捜査本部の判断が二転三転している様を見てきている韮沢だけに、ちょっとした皮肉が口調にこもっていた。

「ええ」巻島は努めて淡々と受けた。「〔バッドマン〕を模倣する手紙はこれまでのところ二千通以上に上っていまして、内容的にも非常に凝ったマニアックとも言える模倣が多いのが実情です。この一通もそんな中で生まれてきたものだと思います。視聴者の皆さんに混乱を招いたことは深くお詫び申し上げますが、こうやってカメラの前で捜査の進行を刻々と報告する手法を選んでおりますので、お伝えしているのは結果ではなく経過であるという側面がどうしても出てきます。新たな事実が判明し次第、訂正すべき点については訂正していくというこちらの姿勢を理解して頂いて、この件に関しましてもお許しを頂きたいと思います」

「私も先週のこれを見て、私のところに来たやつと同じだと思いましたものねえ」

早津がそんな言い方で巻島をフォローしてくれた。

「今度のも偽物だという可能性は?」と韮沢。

「これについては九十九パーセント本物の〔バッドマン〕からのものであると確信しています」

「迫田さん、何か？」韮沢は迫田に顔を向けた。

「まあ、ここにある本物と偽物を比べてみると、本物だからといって何かそれらしい迫力を発散させておるということではないなと思いましたな。これが本物だとするならむしろ、非常に周りの声を気にする小心者タイプであるという印象を持ちました」

迫田は自分のところにも手紙が欲しいのか、やけに〔バッドマン〕を挑発するような言葉を並べた。

「『聞きたいことがあれば改めて』と書いてありますが、巻島さん、〔バッドマン〕にメッセージがあれば」

韮沢に促された巻島は、一つ頷いて、正面のカメラに目を向けた。

「では、改めて〔バッドマン〕に告ぐ……」

＊

「もう、いったい何なのよ、あれ」

植草の横で、未央子が吐息混じりにそんな愚痴をこぼした。

「呼びかけに応えて〔バッドマン〕が出てきたと思ったら、それは偽者だって告発する本物

の〔バッドマン〕が現れて……寄ってたかって盛り上げ過ぎよ」

この日……火曜日の昼前、会う時間を作れないかと電話をかけてきたのは未央子のほうだった。すでに横浜に出ているということだったので、植草はカップル向きの個室がある馬車道のレストランを予約して、そこで昼食をとる約束をした。

一組につき三畳もない広さの個室にはテーブルとカーブのついた真っ赤なソファ……いわゆるカップルシートが置かれてあり、客たちは文字通り肩を寄せ合ってコースランチを食べることになる。十二時過ぎにレストランに現れた未央子はその個室に足を踏み入れるなり、呆れたような眼を帽子とサングラスの隙間から覗かせたが、シニカルな感想を吐く余裕もないと見えて、大人しく植草の隣に座ったのだった。

「心置きなく話ができる店なんだ」

植草は軽い失笑とともに言った。悪趣味なのは承知の上で、植草は未央子が弱っているのを茶化したり、挑発したりすることが楽しかった。自分がそれをできる立場にいることを知っていた。なぜなら、弱っている彼女を助けられるのも自分しかいないと分かっているからだ。

「昨日のあれ、〔ナイトアイズ〕が二十でうちが十よ」

局に確かめたのだろう、昨日の川崎事件のニュースの視聴率の話だった。

「ダブルスコアだな」

植草はあまりに人を食った自分の反応に吹き出しそうになりながら、かろうじてそれは抑えた。

昨日は〔ニュースナイトアイズ〕がトップニュースで、今度こそ本物だという〔バッドマン〕からの手紙を発表した。〔ニュースライブ〕もかけ持ちで出演した迫田が到着すると同時に後追いのニュースを流した。

しかし、後追いは後追いなりの迫力しかなかった。迫田が現場を歩く検証もどきのような真似をやっているうちはまだよかったが、現実はどんどん進んでしまっている。〔バッドマン〕が登場した以上、それに伍すことができる役者はもはや巻島しかおらず、〔バッドマン〕も巻島もいない劇場は単に演目だけが同じの二流でしかないということだ。迫田が盛んに〔バッドマン〕を挑発するような舌鋒を見せていたのも、やけに浮いて感じられた。彼も役者としての存在感を誇示しようとするあまり、我を忘れつつある。

「番組やってて、こんなに無力感を覚えたことってないわ」未央子がため息混じりに言い、髪をかき上げる。「巻島さんが〔ナイトアイズ〕に出るときは植草君から連絡が来るけど……でも、そうじゃないときも〔ナイトアイズ〕を実際に見て、川崎事件のニュースをやらないことを確認しないと安心できなくなってるの。びくびくしながら見てる。ニュースって

目のつけどころや料理法が多少違うだけで、素材としてはどこが扱ったって変わらないものよ。けど、この事件だけはそれが通用しないんだから。ハンディキャップがつき過ぎてるわ。一回や二回抜かれるだけなら我慢できるけど、こんなふうにいつ終わるとも知れないシリーズを張られたら、こっちはたまったもんじゃないわよ」

なまじ真っ向から勝負を挑もうとしているだけに、無力感を悟ってしまえば途方に暮れるしかないのだろう。演じる役をなくした手練《てだれ》の女優が、あとに引けなくなっているのだ。

「この煮込み、美味いぞ。いい味がついてるよ」

植草はまったく食の進んでいない未央子に皿を勧めた。

未央子はサングラスを外した横目で植草を一瞥し、口元に呆れ気味の冷笑を浮かべた。

「何か植草君、私が困ってるのを見て喜んでない？」

かすかに歪んだ未央子の薄い唇が植草の目の前にあった。いい色のルージュが引かれ、しっとりとした艶が浮かんでいる。それこそが美味そうだと思いながら、植草はフォークに刺したキャロットを口に入れた。

「被害妄想だな。そんなふうに感じるほど未央子は弱ってるってことか？」

「その通り、弱ってるわよ」未央子は植草から顔を逸らして言う。「私たちは数字の結果がすべてなのよ。どんな事情が裏にあってその数字になったかっていうのは言い訳にしかなら

ないの。同じニュース番組なのにどうしてこんなに視聴率が違うのか。それはキャスターの差だ。マンネリなんだ。そういう話になるのよ」

凛とした姿しか印象にない未央子が、今は恥ずかしげもなく弱音を吐いている。そうさせるほど、彼女が勝負している世界は彼女個人と比して巨大かつ御しがたいものなのだろう。

植草は未央子の肩が感情に任せて揺れているのを見た。その瞬間、植草の中にあった彼女との距離はなくなっていた。伸ばした手でその肩を抱き寄せていた。

未央子の頭が力なく植草の肩にもたれかかり、植草はさらりとした彼女の髪の毛にキスをした。

未央子が小さく首を振りながら身体に力を入れ、植草から離れた。嫌がっているという反応ではなかった。事実、植草に身を預けるような何秒間かがあった。しかし、今はそういう優しさが欲しいんじゃない……そう言いたげな彼女の素振りだった。

「ネガティブキャンペーンを張るしかないと思う」

彼女は何事もなかったような口振りで、植草に冷ややかな視線を投げかけてきた。

「巻島さんに恨みはないけど、あのロン毛のニヒリストが私の夢の中にまで出てくる以上、私だって叩く権利があるわよ」

「俺はその夢に出てこないのか?」

植草の茶々には取り合わず、未央子は話を続けた。

「迫田さんが言ってたけど、巻島さんって、何年か前の誘拐事件で捜査に失敗して、記者会見で開き直った人でしょ。私もあれ、取り上げたから憶えてるわ。蒸し返そうと思えば、いくらでも蒸し返せるわよ」

別に植草にとっては意外な話でも何でもなく、余裕を持ってそれを受け止めることができた。未央子の必死さが滑稽で、意地の悪さも愛らしくさえ思えた。

「それで？」

植草がその先を促すと、未央子は浮かない顔をして背中を丸めた。

「タイミングがないのよ。今は世間も巻島さんのキャラに惹かれてて、おばさん連中なんかキャアキャア言ってるくらいなんだから、下手に叩いても逆効果にしかならないわ。それに、足を引っ張る意図見え見えでやっても、〔ライブ〕の品位を下げるだけ。だからうちのスタッフも二の足を踏んでるとこなのよ。ワイドショーに取り上げさせようかって話も出てるけど、実際問題、部署が違うし、そう簡単に裏で手引きできるわけでもないのよ」

未央子はふと我に返ったように植草を見てから、自嘲気味に笑った。

「私、最低の話をしてるね」

植草は首を振った。

「未央子が正直に話してくれるから、俺も力になってやれるんだ」

　未央子が寂しげに笑い、小さく頷いた。

「力になってやれるよ」植草はもう一度、繰り返した。

　未央子が眉を動かし、問いかけるように植草を見る。

「一度、〔バッドマン〕からの手紙が届いたって先週に発表したのに、昨日また、今度こそ本物から届いたって話になった……これ、どう考えても、おかしな話だと思わないか？」

　未央子は何も思い当たらないらしく、ただじっと植草を見ている。

「俺は先週の手紙、巻島自身が書いて出したんじゃないかって思ってる」

「えっ⁉」

　未央子は絶句して眼を見開いた。

「俺は毎日彼から報告を受けたり、捜査会議に顔を出したりしてるから分かるんだ。あいつは本物の〔バッドマン〕からの手紙がなかなか来なくて焦ってた。捜査本部内でも捜一の連中とか一癖も二癖もあるのが彼の腕前を冷ややかに見てるから、プレッシャーがかかってるんだ。巻島ってのは一本筋が通ってるように見えるけど、その実、汚い水でも飲むときは飲むやつだよ。自作自演で手紙を出して〔バッドマン〕から来たと公表し、本物の〔バッドマン〕に誘い水を向ける……現実として展開はその思惑通りになったのさ。〔バッドマン〕と

捜査本部しか知り得ない情報なんて、偶発的にしてもそのへんの模倣者が言い当てられるものじゃないんだ。その部分はどちらにしろ公表できないから、世間も何となく納得させられちゃうけど、子供を誘った菓子がどんな銘柄だったかとか、そんな簡単に当たるもんじゃない。それに、文章の体裁にしてもあんなそっくりには書けるもんじゃない。新聞やテレビに出た早津名奈への脅迫状を真似たところで、ああはできないよ。ただし、原寸大のコピーを横に置いて書くんならできる。それができるのは捜査本部の人間だけだ」

捜査の足を引っ張るつもりはないが、巻島が何食わぬ顔で世間をあざむき、あまつさえ植草にも澄まし顔で平然と報告してくることには、少なからぬ不快さを感じ始めていた。主役を狡猾に演じ通している巻島に、植草は喝采を送ることをためらうようになっていた。今はまだ内情を知っている者だけが感じることかもしれないが、世間も馬鹿ではない。巻島を囲む空気はじきに怪しくなると植草は予感している。

「あの手紙の消印は横浜だ」植草はそう付け加えて未央子を見た。

「何てこと……」未央子が呆然とした面持ちで呟いた。

「やつはそれができる。いっぱしの猛獣使い気取りなのさ」

「それがもし本当だったら、世論もただじゃ済まないわよ」

「けど、本当かどうかの確証はない。やつはそれを承知の上でやってるのさ」

「でも、疑惑として指摘することは十分できるわよ。植草君の言う通り、確かにおかしな話よ」

植草は微苦笑して肩をすくめた。

「なら、好きに料理しな」

本物の〔バッドマン〕が名乗り出てきた以上、もはや巻島がその手法を非難されたところで公開捜査に支障が出るという見通しには結びつかない。外野も巻き込んでよりセンセーショナルに盛り上がれば、〔バッドマン〕もより深みへと入ってくるはずだ。植草は植草でそういう思惑があるから、未央子をそそのかしても道理にもとる気持ちにはならない。

「悪いわね、敵に塩を送ってもらって」

未央子が切れ長の眼に力を戻し、いたずらっぽく笑った。

「俺は未央子の敵か？」言って、植草は笑い返した。「だとすると余計燃えるね。ロミオとジュリエットみたいで」

「学生のときはただの気取り屋さんだと思ってたけど……」

「はっきり言うね」

「でも、立派になった。やっぱり男の子ね。頼れる人になったわ」

「昔、ベイブリッジをドライブしたこと憶えてるか？」

未央子は少し瞳を上に動かして、考えるような間を置いてから頷いた。

「あったわね。そういえば」

「また行こうよ……あそこから……」

もう一度やり直そうとの言葉は濁したが、未央子には伝わったように思えた。

「そうね。これが落ち着いたら」

未央子は何の引っかかりもなく言い、マッシュルームのソテーをフォークに刺して艶やかな唇に運んだ。そして、充足したような笑みを植草に見せた。

＊

巻島はV類班が使っている部屋に入ると、しばらく何とはなしに作業の様子を見守ってから、班員の中で一番若い三十歳前の独身、蓑田《みのだ》に声をかけた。

「ちょっとたわいないことを訊きたいんだがな」

「はい、何でしょう」

蓑田は作業の手を止めて、巻島を見上げた。

「カーキ色ってどんな色か分かるか？」唐突に訊いてみる。

「はあ……どんな色って、どう言えばいいんでしょうね」蓑田は戸惑いを顔に浮かべながらも、真面目に答えようとしている。「クリーム色に薄い茶が入った色って言うんですか……チノパン……綿のズボンなんかでよくある色ですよ」

「なるほど、そういうのは洋服の色で憶えるわけだな。じゃあ、ヒ色ってどんな色か分かるか？」

「え……ヒ色？　ヒ色って何ですか？」

「お前、緋色も分かんないのか？」

先輩たちから苦笑とともに冷たい野次が飛んだ。

「ああ、『緋色の研究』の緋色ね。いや、耳で聞くと一瞬、分かんないですよ。あれでしょう、赤っぽい色でしょう？」

「どんな赤だ？」

「どんな赤って言われましても……困ったな」

蓑田は自嘲気味に笑ってごまかそうとする。

「じゃあ、アイ色はどうだ？」

「藍色ですね。確か小学生のときの絵の具にありましたね。ええと、藍は青より青しだから、青の濃いやつですね」

「馬鹿、逆だろ。それを言うなら、『青は藍より出でて、藍より青し』だよ」

またも野次られて、蓑田は頭をかく。

「え、そうか……青より濃いのは紺でしたね。藍は青より淡いんだ」

「そういう問題じゃねえって」

「え？ 違うんですか？ でも薄紫みたいな感じでしょ？」

「薄紫は藤色だろ。藍色とは全然違うぞ」

「いや、僕の頭にあるのは藤色じゃないんですよ。薄紫じゃなくて、何て言えばいいんだろ……ああ、もう、頭がこんがらがってきましたよ」

蓑田はすっかり混乱した様子で情けない顔をしている。

「いやいや」巻島は誰に言うでもなく言う。「色彩に関する言語能力っていうのは誰しも似たり寄ったり、こんなもんじゃないか」

野次が止《や》み、それぞれに巻島の言葉を吟味する空気が生まれた。

「なるほど」西脇が腕を組んで唸った。「つまり、その人間の生活体験に関係ない色彩言語は、意外にうろ覚えだったり、勘違いしてる場合が多いってことですか」

「そう思わないか。ベージュなんて誰でも知ってる色彩言語に思えるけど、女性服によく使われる色であって、男が日々意識する色ではない気もするんだ。そうすると、最初に憶え間

違いをすると、案外それに気づいてないってこともあるんじゃないか」

「確かにベージュって微妙な色ではありますよね。どの濃さまでベージュなのかみたいな」

「ああ」蓑田が口を挿む。「僕も昔、『ルビーの指環』の『ベージュのコート』って歌詞を聞いて、ベージュって何だろうって子供心に思った記憶がありますよ」

「俺も『亜麻色の髪の乙女』の亜麻色って実はよく分からないんですよね」蓑田をけなしていた先輩格の大内《おおうち》も白状した。「まあ、分からなくてもいいやっていうのがありますけど」

「色だけじゃなく、言葉の憶え間違いってのは結構ありますからね」西脇が自分自身に頷きながら続ける。「〔バッドマン〕が臙脂系の暗紅色《あんこうしょく》をベージュと書いたのは、記憶違いじゃなくて、ベージュがそういう色だと思い込んでるってことですね。いや、そう言われてみれば、あり得る気もしますね」

何人かが西脇につられるように頷いた。

「そうだとして、問題はそれを捜査に結びつける手立てですな」津田が細めた眼を巻島に向ける。「何かおありなんですか？」

「いや、それはこれから考える」

巻島はそう応じて、自分が持ち込んだ話題を終わらせた。

その夜、巻島は昼間に交わした色の話のことなどをとりとめもなく考えながら、自宅の居間でテレビを見ていた。〔ニュースナイトアイズ〕でいくつかのニュースが終わり、時計を見ると十一時を過ぎていたので、今度は〔ニュースライブ〕にチャンネルを合わせてみた。〔ニュースライブ〕に迫田が出演し、川崎事件を扱うようになってからは、何となくそんな見方が習慣になっていた。

〔ニュースライブ〕では、〔ニュースナイトアイズ〕と同じように、代議士の汚職事件をトップニュースとして取り上げていた。それから中東での爆弾テロや中国・ロシア首脳会談などのニュースが続き、さらに小さなニュースが連続的に流された。

巻島はチャンネルを変えようかという気になりかけていた。新聞の番組表には川崎事件を扱うとの予告もなく、その通り、今日は何もなく済みそうに思えていた。

しかし、ダイジェストのニュースが終わると井筒孝典が言った。

〈CMのあとは川崎の事件です〉

巻島は手に持っていたリモコンを脇に置いて、CMが明けるのを待った。

〈昨日に引き続き、川崎の男児連続殺害事件についてお届けしたいと思います〉

カメラ目線でそう切り出した井筒の横には、やはり迫田と門馬が座っていた。

彼らが紹介されたあと、VTRが流された。昨日、本物の〔バッドマン〕からの手紙が捜

査本部に届くに至った経緯を復習するような内容だった。昨日は巻島が〔ニュースナイトアイズ〕でそれを発表したあと、〔ニュースライブ〕も後追いながら迫田の解説付きで詳細に報道している。巻島はそれをビデオに録っていたので、帰宅してからチェックしている。

そしてまた今日、同じ内容の事実をVTRにして繰り返すというのは、巻島にはくどく感じられ、少なからぬ違和感があった。

〈現在、捜査本部のある宮前署前に山川《やまかわ》記者がいます。山川さん、最新の情報があればお伝えください〉

VTRのあとはそんなふうにして、中継がつなげられた。

川崎事件について何がしかの発表やコメントを出せる人間は、もう捜査本部に残っていない。案の定、警察署の門の前に立つ記者は、渋い顔をしてスタジオに返答を送った。

〈えー、こちらの捜査本部は、昨日一通の手紙が〔バッドマン〕こと事件の犯人からのものであると判定されたのを受け、張り詰めた空気の中で捜査の新局面を迎えたわけですが、本日のところは新たな動きはなかった模様です。明日以降、発表を受けた〔バッドマン〕からの反応が捜査本部に届くのかどうか、捜査本部内でもその行方が注目されているところです〉

さしたる必要性のない、まるで取ってつけたような中継だった。無理に臨場感を煽ってい

るようで、巻島は首を捻りたくなった。

　画面がスタジオに戻る。

〈さて、今日は新局面を迎えたこの事件の捜査について、これまでの流れを分析しながら迫田さんに見通しを語って頂きたいと思います〉

　井筒が迫田に視線を送る。

〈迫田さん、今回のこの捜査は非常に特異な様相を呈していると思うんですが、これは捜査本部の青写真通りと見てよろしいんでしょうか？〉

〈そうですね〉迫田が関西弁のイントネーションで鷹揚に答える。〈巻島特別捜査官が指揮をとってからのこの捜査は、テレビで視聴者から情報を募るという奇抜な手段を中心に据えてきたわけですけど、裏の狙いとしては、〔バッドマン〕本人からのアプローチを待つと、それをかなり初期の段階から意識していたんやと思いますな。だから、〔バッドマン〕からの手紙が届いたという現状は捜査本部の目論見《もくろみ》通りであると、そう言っていいでしょう〉

〈〔バッドマン〕本人からのコンタクトに頼るしかないほど、捜査の糸口は見つかっていなかったというわけですね？〉

〈そうです。だから捜査本部は何としても巻島氏のテレビ出演で〔バッドマン〕を誘い出さなきゃならなかった。そのための画策も随所に見て取れますな〉

〈画策というと、どんなことでしょう〉

〈例えばね、巻島氏はテレビの前で、〔バッドマン〕のパーソナリティを分析する際、『非常に知的レベルの高い人間』などと言って、おだてとるわけです。そうやって〔バッドマン〕をいい気にさせて誘い込もうという意思が見て取れるわけですよ〉

〈なるほど〉

〈まあ、それだけじゃなくてね、かなり際どい罠も張ったんやないか、私はそう見ております。本物の〔バッドマン〕と判定された手紙が明らかになる前、先週のことですが、そのときも一度、これが本物の〔バッドマン〕の手紙だと巻島氏が発表しております。文書の中で犯人しか知り得ない、あるいは犯人と捜査本部しか知り得ない秘密が記されておると。その部分については黒く塗り潰されておったんですが、そんな精度の高い手紙でありながら、今となればこれは模倣者のものだったということなわけです。さて、しかし、それは本当に一般視聴者の模倣やったんか……なんてことを私は思うわけですな〉

思わせ振りに一息の間を空けた迫田に対し、井筒はいかにも迫田の話に惹き込まれているというように身を乗り出し、無言で小首を傾げて先を促してみせた。

〈まあ、巻島氏に直接訊いたわけではないから、もちろん想像の域を出ないんですが、もしかしたら彼は一世一代の博打《ばくち》を打ったんやないかとね〉

井筒が口を半開きにして軽くのけぞってみせた。

〈つまり、巻島捜査官が本物の〔バッドマン〕を誘い出すために、自作の手紙を〔バッドマン〕からと偽って発表したと？〉

迫田は意味ありげにニヤリと笑った。

〈そうすると一連の説明はつくわけですよ。ただ、今の捜査本部はかなりの大所帯のようですから、その組織全体のコンセンサスを得てのやり方とは考えにくい。だからたぶん、この公開捜査の指揮と責任一切を任されておる人間が仲間をも一杯食わせる形で一芝居打ったんやないか……そういう裏がもしかしたら、あるんやないやろかと思うんですな〉

井筒が小さく唸り、迫田はもう一度、笑みを口に含んでみせた。

〈しかし……〉眉を寄せた杉村未央子が、硬い口調で言う。〈それは言葉を替えれば、捏造ということですよね。もしこれが本当だとすれば、見過ごしていい行為ではないようにも思いますけれど〉

迫田は苦笑を答えにした。

〈門馬さんはどう思われますか？〉

井筒がジャーナリストの門馬へ質問を振った。

〈まあ、そうと決まったわけでもないことにコメントするのは難しいんですが、ただ、疑惑

としての可能性がある以上、それを指摘しないことにはうやむやになってしまうおそれもあるわけですね。もしこれが事実だとしたら、ずいぶん問題のある手を使ったことになると思いますよ。メディアや世間というものを安易に考えてると思います。今回、この事件の捜査では巻島捜査官自らが特定のテレビ番組に出演して、それを捜査に利用してきたわけですけど、その手法が初めての試みであっただけに、捜査官側にある種の驕《おご》りや軽率さがなかったかどうか……そこが問われることになるでしょうね〉

〈この巻島捜査官ですけど、六年前にも実はある事件に際してマスコミの注目を集めているんですねえ?〉杉村が迫田に水を向ける。

同時に画面には、六年前の記者会見で新聞記者に〈逃げるんですか!?〉と声をかけられ、〈ちょっと君! 頭おかしいんじゃないか!?〉と詰め寄っている巻島の姿が映し出された。

〈これは六年前の相模原で起きた男児誘拐殺害事件のときですな。このとき彼は誘拐捜査の現場を指揮した管理官やったと思います〉迫田がゆっくりとした口調で解説する。〈まあ、普通、記者会見に臨むのは一課長クラス以上の人間ですから、このときの彼は場慣れしてなかったという言い方はできるかもしれません……が、やはりもともと独善的というか、周囲、特にマスコミなんかを軽視してるような気質があって、それを今現在も引きずっておるところがあるんやないか……と言うたら言い過ぎですかな〉

巻島は画面に映し出されている古ダヌキのような顔を、知らず睨みつけていた。

昨日、〔ニュースナイトアイズ〕で顔を合わせたときの迫田は、疑いのかけらも口にしてはいなかった。はしごで出演した昨日の〔ニュースライブ〕でもそうだ。それが今日になって突然、牙を剝くような攻撃を仕掛けてきた。

そのいきさつは今一つよく分からなかったが、この〔ニュースライブ〕の放送が大きな波紋を呼びそうなことは間違いなかった。

〔ニュースライブ〕の特集コーナーが終わってから、早速、電話が鳴り響いた。

〈植草です。今の〔ニュースライブ〕見てましたか？〉

曾根に呼ばれたので、明朝、本部に直行してくれとのことだった。

＊

「お前の仕業か？」

曾根は目の前に立つ巻島を、スーベレーンのペン先で指した。小首を傾げ、やや上目遣いに睨め上げてやる。

巻島は無表情だった。無駄な緊張を嫌うかのように曾根から視線を逸らし、しばらくして

から涼しさを湛えた眼で曾根を見返す。言葉はなかった。

「いや、勘違いするなよ。俺は別に非難してるわけじゃない。〔ニュースライブ〕の連中とは違う。現実には、あれで本物の〔バッドマン〕が出てきたんだ。あれをお前がやったんなら、その責任問題はともかくとして、残した結果については拍手を送ってやってもいいと思ってるんだがな」

「あいにく私は賞賛を受けるような人間ではありません」巻島は素っ気なく応えた。

曾根はその姿をじっと眺めた。「ふむ……まあいい」冷笑気味に独りごちて続ける。「ただ、世間を相手にすっとぼけてみせるのは難儀だぞ。やれるか？」

「とぼけるも何も……」

「これからの劇場は波乱の幕開けだ。客とは一触即発の真剣勝負だ。しかも、許される時間は少ないだろう。罵声を浴びながら、お前はエンディングまで演じ切り、カーテンコールに仮面を剝いだ〔バッドマン〕を引きずり出してやるんだ。やれるか？　いや、やらなきゃならん」

「そのようですね」

「浪速のクソオヤジは〔ニュースナイトアイズ〕から外してもらうようにしろ。功名心だけのろくでもないタヌキだ」

曾根はそれだけ言い終えると巻島に万年筆を振り、隣に立つ植草にも同様にして退室を促した。

巻島のウェーブした長い後ろ髪が、曾根には一瞬、煤けているように見えた。主役は汚れ役……そう動かした唇に笑みを忍ばせて、彼の背中を見送った。

＊

「記者クラブが巻島さんの会見を求めてきてます。昨日の〔ニュースライブ〕で取り上げられた問題に対するコメントを聞きたいらしいです。どうしますか?」

植草は本部長室前の人気のない廊下で隣を歩く巻島の顔を窺った。

「私のほうから特にコメントすることはありませんよ」巻島が横顔で答える。

それほど悠長には構えていられない事態と思えたが、植草はそれを撥ねつけようとは思わなかった。巻島が沈黙を守れる時間が長くないことは確実だった。それは本人も分かっていることだろう。

「〔ニュースナイトアイズ〕からは何か言ってきましたか?」

「児玉さんに呼ばれました。今日の出演が決まったわけじゃないですけど、向こうはそれを

求めてくるかもしれません」

自分たちの番組で重大な疑惑が持ち上がったとすれば、彼らも静観はできまい。

一呼吸置いてから植草は訊いた。

「実際、どうだったんですか？　あれは巻島さんなんですか？」

上司風を吹かせても、曾根本部長相手でさえシラを切った男に通じるはずがない。植草は噂話を聞く口調で尋ねてみた。

対して巻島は、口元に笑みともつかぬものを浮かべて小さくかぶりを振った。「言わぬが華でしょう」

その気障な言い方は少なからず鼻についたが、植草は作った微笑を返すにとどめておいた。

「それより課長、迫田さんが何らかの探りを入れてきたとかそういうことはありませんでしたか？」

「いや……私は把握してませんが」

「あるいはOBの長谷川さんとかからも？」

植草は首を横に振った。

「そうですか。ならいいですけど……ほかを当たってみます」

「どういうことですか？」

「いや」巻島は軽く首を傾げて答える。「迫田さんとも〔ニュースライブ〕の取材班とも言えないんですが、やけに勘がいいというか、帳場の動きを把握してるような気がするもんですから」

「そうですか」植草は聞き流したふうの相槌を打った。「まあ、腐っても元名物刑事ですからね。どこに目がついてるか分かりませんね」

それから植草は巻島に同行して宮前署の捜査本部を訪れ、幹部会議に顔を出した。

植草も半ば予想していたことだったが、会議では捜査一課の生え抜き幹部たちが巻島に対して敵対心を露骨に示すような態度を取り、一時的に本物とされた〔バッドマン〕の手紙が巻島の自作であったのかどうかを、遠慮なく問い質す一幕もあった。

「風評には惑わされないでください。そして、それがこの捜査の最重要問題ではないということもお忘れなく。我々にとって今大事なことは、まさに本物の〔バッドマン〕から反応が来ているということであり、それをどう事件解決に結びつけるかということです」

巻島はそんな台詞を繰り返して、不審の声を一蹴した。

捜査報告では現在の行動確認対象者の中で、本物の〔バッドマン〕が封書を投函したと思われる先週木曜日の夜から金曜日の朝にかけて、渋谷局内でポストに郵便物を入れた人間は

皆無であることが判明した。巻島は行動確認対象者の更改を決め、植草にさらなる捜査人員の増員を要求してきた。

「それから何度も話していることですが、情報管理については末端まで徹底させてください。マスコミへの独断でのリークは厳に慎むよう、適切な指導をお願いしておきます。以上」

その言葉をそっくり返してやるとでも言いたげな視線を巻島に突き刺して、参席者たちが部屋を出ていった。

「V類のスタッフも増員しときますか？」

植草は帰り支度をしながら巻島に訊いてみた。

「そうですね、迅速な対応が必要ですから、手があるに越したことはありません」

「分かりました。じゃあまた、鑑識畑の人間を見繕いましょう」植草は自然な口振りでそう応えておいた。

県警本部に戻った植草のもとに、正午を回るのを待っていたように未央子から電話がかかってきた。

〈見た？　今日のスポーツ新聞〉

未央子の声には冗談を口にしているようないたずらっぽさがあった。

「もちろん。見てなくても予想はついたけどね」

一般朝刊紙はさすがに憶測情報をいたずらに取り上げることはしなかったが、スポーツ新聞では各紙の一面に「バッドマン、捏造だった？」「巻島捜査官に捏造疑惑」などの見出しが乱れ飛んでいた。社会・芸能欄を開いても、巻島にまつわる六年前の記者会見騒動などが詳しく蒸し返されていた。

「数字はどうだった？」

〈出たわよ。あの前まで一桁だったのが、ぐんぐん上がって、最後は十五パーセントを超えてた。その時間帯は〔ナイトアイズ〕を抜いたわ〉

「如実に出るんだな」植草は数字の正直さに半ば感心して言った。

〈巻島さんの反応は？〉

「シラを切ってるよ。〔ナイトアイズ〕から声がかかってるらしいから、もしかしたら今日にでも釈明的な出演があるかもしれない。でもあいつはあくまですっとぼけるだろうね」

〈じゃあ、今日はまた〔ナイトアイズ〕に持ってかれるかもしれないわね。相乗効果になればいいんだけど〉

「巻島と迫田が対決したら、視聴者はほっとかないだろうな。でも、本部長が迫田を切るよう〔ナイトアイズ〕に迫れって言ってたから、どうなるか分かんないけど……おっと、これ

は本部長と巻島と俺との間での話だからオフレコだぜ。巻島も迫田の勘があまりに鋭いもんだから、何かと勘繰り始めてやがるよ」

〈分かったわ〉未央子はくすりと笑って言った。〈そうすると、迫田さんはうちで囲っちゃっても構わないわけね〉

「それでいいさ。何も〔ナイトアイズ〕に美味しいとこをやる必要はない。巻島と〔バッドマン〕を抱えた〔ナイトアイズ〕は悪役《ヒール》だ。善玉《ベビーフェイス》はそれを叩けばいい。巻島はそれくらいでへこむタマじゃないし、うちも別に困りはしないよ。〔バッドマン〕が捕まれば、すべては終わりなんだ。ハッピーエンド。ベビーフェイスもヒールもない。ショーっていうのはそういうもんさ。そうだろ？」

〈その目算はあるの？　捕まえられる目算は？〉

「ないんじゃないか」植草は我ながら間抜けな答えに失笑した。「今はないと思う。ただ、これから何が起こるかは誰にも分からないんだ。ステージがヒートアップすればするほど、そこに上げられた素人役者は我を失ってボロを出す。六年前の巻島がそうだった。今度は〔バッドマン〕の番だ。必ず馬脚を露す。そうなるよう、舞台は熱くなきゃいけないってことさ」

〈何だか植草君が言うと説得力があるわね。本当にそうなる気がするわ〉

植草は耳にくすぐったさを覚え、まんざらでもない気分になった。

午後になって、植草は鶴見署から舟橋《ふなはし》という二十代の若い鑑識課員を呼び寄せた。経歴を調べたところ、この舟橋は巻島とは何の接点もなく、また現在のV類の作業班の誰とも、研修などで顔を合わせた以上のつながりはないはずだった。性格的には上司に従順な体育会系気質があり、なおかつ必要以上には人と群れず、軽率な口は利かない慎重派の男だと記録には記されていた。加えて、出身校は植草と同じ市ヶ谷大学だった。

別室で対面した舟橋は、本部の課長を前にしてということからか、額から汗を滴らせてかなり緊張している様子だった。しかし、大学の話題などを振ってしばらく会話を交わしてみると、記録に記されている通りの若者であることが分かった。

「君には明日から当分の間、例の宮前署の帳場へ行ってもらおうと思ってる」

植草が仕事の口調に戻して言うと、舟橋は仰々しく頭を下げた。「光栄です」

「帳場ではV類の作業班に加わってもらう。簡単に言えば、そこは〔バッドマン〕名の郵便物を一手に引き受けてる班だ。多くの封書をふるいにかけて、あるかないか分からない本物の〔バッドマン〕の手紙を探し出す。そしてそこから指紋を採取したり、詳細を鑑定したりする……そういう作業をしている。具体的なことはそこの面々に聞けばいい。それはともか

くとして……」

植草は故意に間を挿み、舟橋を見据える眼に力を込めた。

「もう一つ君には仕事を任せたい。ここだけの話だから、そのつもりで聞いてくれよ」

「はあ……」舟橋は強張ったような半開きの口から頼りなげな声を洩らした。

「昨日の〔ニュースライブ〕は見たか？」

「あ、いいえ、その……」

「じゃあ、スポーツ新聞は見たか？　今、捜査本部の巻島警視にどんな疑惑が持ち上がっているか知ってるか？」

「ああ、それは知ってるというか、何となく……」

「はっきり言ってくれていいよ」

「はい、その、〔バッドマン〕の手紙を捏造したとかしないとか」

「そうだ。これは県警の信頼性に関わる問題なんだ。巻島自身はしらばっくれてるが、黙って見過ごせる話じゃない。監察が動くような事態になる前に、監督的立場の俺としては事の真偽を確かめておかなきゃならない。分かるな？」

「はい」舟橋は顎を引いて頷いた。

「あの手紙には掌紋が部分的に採取されてる。おそらく右手の小指側の手のひらだろうと見

られてる。分かると思うが、指紋には気をつけていても、手のひらはうっかり紙につけてしまう。汗ばんだ手のひらが一番最初についたところには掌紋が付きやすい。そこにかすかではあるけれども、紋がはっきりと出ている。そういう報告が俺のところにも上がってる」

植草はもう一度、舟橋を見据え、彼の緊張を解くように笑ってみせた。

「で、君に頼みたい仕事なんだが、機会を見つけて巻島の掌紋を採り、偽〔バッドマン〕の掌紋と照合してもらいたいんだ」

「機会を見つけて……ですか？」

舟橋は植草の笑顔にはつられず、硬い表情のまま声を絞り出した。

「あるはずだ。巻島はV類班の作業室に立ち寄る頻度が高い。巻島が机に手をついたら、そこに紙でも載せて誰かに触れさせないようにして、みんなの仕事が終わってから一人残って採取するとかな。あるいは巻島の使ってる部屋に忍び込んでもいい。何か考えてうまくやってくれ」

「はあ」舟橋はため息のような相槌を打った。

「極秘任務だ」植草は念を押しておいた。

夕方になって巻島から、今日届いた郵便物の中に、〔バッドマン〕からのものと特定され

た第二の手紙があったことが電話で報告された。照合に堪える指掌紋は今回も採れなかったという。

七時を過ぎた頃に、巻島が再び県警本部に姿を見せた。植草は別室で彼を待ち受け、記者クラブに配付する手紙のコピーを受け取った。

巻島が言葉少なに頭を下げて部屋を辞すると、植草は一人そこに残って携帯電話を取り出した。未央子に〔バッドマン〕からの新たな手紙が届いたことを伝え、彼女の昂ぶった反応を耳に楽しんだ。

*

巻島史彦へ

また書いてやったぜ。早津名奈は身も心も汚れきってるくせにきれいごとしか言わない、いけ好かねえ電波芸者だが、お前はちょっと違う気がするな。俺様に対するリスペクトを感じるぜ。長年刑事をやってりゃ、俺様みたいにどでかいことをしでかす男のあっぱれさも分

かってくるってことだろう。そういやニュースライブで迫田が俺様のことを挑発してたが、ありゃ何だ？　そうすりゃ俺様から何か届くと思ってんのか？　笑わせるんじゃねえぞ。老いぼれはすっこんでろ。フハハハハ。

巻島、お前なら分かってくれるよな。俺様が本当に世間の言うような鬼畜なのか、それともこの日本に必要な真の理想主義者かってことが。俺様は何も手当たり次第にガキを殺したわけじゃねえ。このままこいつらが大人になったとしてもろくな人間にならないだろうと思ったからで、いわば俺様の慈悲ってことよ。だいたい、見知らぬ人間に誘われてひょこひょこついてくようなガキに育てた親の責任はどうなんだ？　世間の連中だって本音じゃ親も悪いと思ってるぜ。巻島、お前はどう思う？

男同士、本音で語り合おうぜ。

じゃあな。阿婆世。

帰ってきたバッドマン

＊

その瞬間、韮沢は時間が止まったように身じろぎをやめ、カメラを一瞥してから、もう一

度、巻島に冷ややかな視線を向けた。

「というと……？」

その皮肉めいた訊き返し方は、自分のほうに正義があるということを疑っていない人間のものだった。巻島が要望するまでもなく、迫田は〔ニュースライブ〕に引き抜かれる形でこの番組を去っていった。その代役を、どうやら今日からは韮沢自身がこなすつもりらしかった。

というより、打ち合わせの時点から、巻島は番組スタッフが一歩引いた距離感で自分と接し始めていることに気づいていた。胡散くさい疑惑や過去が持ち上がり、花形捜査官というメッキが剝がれ落ちようとしている人間と心中する気はさらさらないようだ。

「誤解して頂きたくないのは、私は〔バッドマン〕と同じように被害少年やその家族にも一定の落ち度があると言っているわけではありません。私が言いたいのは、どんな立場の人間にもその人間なりの言い分があるのだということです。そして、ここに書かれているのは、この国の社会問題と言ってもいい、一つの事件を起こした人間の言い分なのですから、私はそれを安易に理解不能なこととして切り捨てるのは間違っていると思うのです。真正面から受け止めてみれば、〔バッドマン〕の論理は、それはそれとして咀嚼《そしゃく》できないものではないと言いたいわけです」

「ある意味、理解できるということですか？」

韮沢は嫌らしく、言葉を変えながら質問を繰り返した。

「理解するのを放棄すべきではないと言いたいわけです」

韮沢はかすかに首を捻って、コメンテーターの杉山に意見を求めた。

「私は理解できませんね。ここに書かれてあるのは、犯人が自らを正当化するための言い訳ですよ。それも相当無理があって、お世辞にも出来がいいとは思えない。忘れてならないのは四人の命の重さです。それが感じられないこの文章は、何かを検討するに値しないと私は思いますね」

番組の立場を代表するように答えた杉山に対して、韮沢は深く頷いてみせた。それからまた、巻島に視線を戻し、〔バッドマン〕に呼びかけたいことがあればと促した。結局のところは、韮沢も自分の劇場の名を傷つけないようにしながら、巻島には観客に物を投げられるまで芝居を続けさせたいということのようだった。

「〔バッドマン〕に告ぐ」巻島は穏やかな口調を作って、カメラに語りかける。「君がこの社会に何がしかの不満を持っているということは、一連のメッセージから感じることができる。では、具体的に何が不満なのか、どんな腹立たしい出来事に出会ったことがあるのか、それを一つ教えてほしいと思う。この事件が君だけの問題ではないということを、もう少し具体

的に、説得力のある話として聞かせてほしい。それによって私はもちろん、視聴者の方にも君の人間性が伝わるだろうと思う。待ってます」

モニターに視線を留めていた韮沢は、自分がアップになったところで、「巻島さんは……」と低い声を発した。

「六年前の相模原で起きた桜川健児君の誘拐殺害事件でも捜査を指揮する立場にいらっしゃっていて、あの事件ではその後のマスコミへの対応なんかでも、相当各方面から非難を浴びたと聞いてるんですが……今、あの事件に関する一連の出来事について、何か言うべきだとの思いはありますか？」

打ち合わせでは何ら触れられていなかったが、韮沢の性格からして、最初から切り出すタイミングを窺っていたに違いない質問だった。

「あの事件につきましては、私自身、今でも忸怩たる思いを残しております。大きな教訓として胸に刻んで、この仕事に就いているつもりです」

韮沢はそれ以上の言葉を要求するように巻島を無言で見たあと、何も出てこないのを確かめてから無表情で質問を継いだ。

「あの事件では後手後手に回った捜査やその後の責任回避的な警察の対応について、ご遺族から相当強い怒りの声が上がりましたよね。事実が報道された通りだとするなら、ご遺族が

怒るのも当然だと私も思ったんですが、今改めて、巻島さんからあの事件のご遺族に伝えたい言葉というのはありますか？」

「ありません」巻島は答えた。「この場でカメラを通して言うべきことは何もありません」

韮沢はわずかに眉を寄せて、わざと重い空気を作ろうとするかのように沈黙を挿んだ。

「……では、いまだ捕まっていないあの事件の犯人についておっしゃりたいことは？」

彼はそんなふうに質問を変えた。

巻島は答えを口にするまでに数秒を要した。

「おそらく、あの日以降、今に至るまで、救いのない人生を送っていることだと思います」

重い唇を動かしてそう答えた。


川崎事件の特集が終わり、CM入りの声がスタッフから告げられたと同時に、早津名奈が椅子を回して巻島のほうに向いた。

「今日の、本心じゃないですよね？」

早津はいつになく真剣な眼をして、立ち上がりかけた巻島を見上げた。

「失礼を承知で言いますけど、〔バッドマン〕に媚び過ぎだと思います。あんなこと言ったって、視聴者の共感が得られないし、巻島さんが余計に叩かれるだけですよ」

本番前の打ち合わせではよそよそしいスタッフの中で唯一気遣いの素振りを見せてくれていた早津だったが、それだけに一言言わずにはいられないという様子だった。

「どうも、私には憎まれ役が合ってるようです。変に猫をかぶっても、いずれは似合いの役どころに落ち着いていくらしい」

巻島はそう言って、早津に微苦笑を向けた。

早津は小さく嘆息し、少し哀しそうな眼をした。

スタジオを出た巻島は、報道局フロアのモニターの前に立ち寄った。

ちょうど始まったばかりの〔ニュースライブ〕では、川崎事件がトップニュースだった。スタジオには井筒や杉村と並んで、迫田の出演する姿が映し出されていた。

まず、捜査本部前の記者と中継がつながり、先ほど報道陣に配布されたばかりの〔バッドマン〕からの新たな手紙が紹介された。それからその手紙を映した静止映像とスタジオの様子とを交互に映し替えながら、迫田が文面についてのコメントを披露した。

迫田は自分に対する〔バッドマン〕のつれない反応を皮肉りながら、対話を前向きに受け入れようとしている巻島には〔バッドマン〕が好意的な態度を示していることについて触れ、〔バッドマン〕の素顔は、普段他人から評価される機会に恵まれていない一種の社会不適応者だと思われるとの見解を出した。

迫田のコメントを始め、この番組での〔バッドマン〕の手紙の取り扱いは、明らかに〔ニュースナイトアイズ〕での巻島の出方を踏まえたものだった。警察側は〔バッドマン〕の機嫌を取りつつメッセージのやり取りを進めていこうとしているが、そのやり方にはメディアを都合よく利用する姿勢が際立ち、見ていてあまり気分のいいものではないというような、はっきりと巻島に苦言を呈した台詞も出てきた。

〔バッドマン〕の手紙のコピーは、〔ニュースナイトアイズ〕が始まる十時半に、記者クラブに配布される。十時台のニュース番組は〔ニュースナイトアイズ〕とNHKの〔ニュース10〕だけであり、〔ニュース10〕では文面がざっと紹介されるだけの扱いとなっている。余計な解説が付かないのはNHKらしいが、検討するだけの時間が足りないという側面もあるだろう。

その次に始まるのが、この〔ニュースライブ〕だ。トップニュースで扱うとなれば、この番組も手紙が公表されてから三十分しかない。その間に中継の内容を調整し、手紙の絵を撮り、文面を検討して〔ニュースナイトアイズ〕をモニタリングしなければならない。

それをこの番組はそつなくこなしている。

やけにそつがない。巻島はやはりそう感じる。

〈この手紙が捜査の進展に結びつく可能性はあるんでしょうか？〉杉村未央子が迫田に訊く。

〈もちろん、便箋に指紋が付着しておったり、髪の毛が紛れ込んでおったりした場合は一つの物証が得られますので、大きな進展にはなると思いますよ〉

〈指紋というのは紙に付きやすいものなのですか？〉

〈適度な圧力によって紙と指が接したときは、皮脂や汗による指紋が付着します。こういう犯行声明文の類を書くときは、筆跡を変えたりして、書き手に少なからずストレスがかかっておるわけですな。そうすると、たとえ手を洗って書いたとしても微量の汗が浮いてきますから、汗の成分であるアミノ酸と反応する指紋採取法を用いれば指紋が採れるんです。もし〔バッドマン〕に犯歴があるとすれば、コンピュータ照合で名前が出てきます。犯歴がないとしても、そこで終わりではありませんから、今後何かの微罪等で〔バッドマン〕が指紋を採られたときに、急転この事件が解決する可能性も出てきます〉

長々と余計なことを解説してくれる。〔バッドマン〕がこの番組を見ていなければいいがと思う。

〈なるほど……そのほかにも警察がこの手紙に期待していることはあるんでしょうか？〉

また誘導めいた質問だな……巻島にはそう感じられた。

〈考えられることとすれば、これまでの捜査で浮かび上がっておる不審者の行動をマークするということでしょうな。ポストに手紙を投函しないかどうかをね。この捜査に投入されて

おる捜査員は、今や四百人から五百人規模になっとるようです。この手の特捜本部は通常、せいぜい百人から百五十人ほどで構成されるものですから、四、五百人というのは異例ですよ。何にこれだけの人員を割いておるかというと、これまでは寄せられた情報の裏付け作業でしょうな。それによって相当数の不審者が挙がっておるはずです。で、もう情報提供のピークは過ぎとりますから、人員は余っておる。それを今度は、挙がった不審者の行動監視に回しておるんやろうと思いますな。これだけの捜査員がおれば、少なくとも手紙一回のやり取りで百人からの不審者を潰すことができる。コンスタントに〔バッドマン〕から手紙をもらうことができれば、短期間のうちに疑惑の濃い数百人の不審者を無理に追わなくて済むようになる。もちろん、そこから本物の〔バッドマン〕が特定できるという可能性も見えてくるわけですよ〉

まるで捜査会議を見てきたような解説ぶりに、巻島は少なからず呆れさせられた。幹部会議で捜査員を五百人規模に増員させることが決まったのは今日のことだ。かなり詳細に捜査本部の動きが把握されている。

巻島自身、露骨なまでに〔バッドマン〕との対話姿勢を打ち出しただけに、〔バッドマン〕からの継続的な返答は期待できるとの手応えを持っているが、そうそう水を差されてはうまく行くものも行かなくなってしまう。

どうやら獅《し》子《し》身中《しんちゅう》の虫がいるらしい……その勘を確信に近づけて、巻島はモニターに背を向けた。

7

〔ニュースナイトアイズ〕に出演した翌々日、巻島はまず宮前署の別室で、斉藤剛少年の祖父、斉藤明臣の訪問を受けた。

「率直に申し上げますが巻島さん……」明臣は湯呑みに手をつけぬまま、眉間に皺を刻んで巻島を見据えた。「『被害者の会』では〔ニュースナイトアイズ〕に出演して犯人に語りかける巻島さんのやり方に、疑問の声が上がり始めています。犯人を〔バッドマン〕などと呼んで調子に乗せて、何だか有名人のような扱いにしてしまっている。そんな一連のやり取りは、遺族感情を無視していると言ってもいいものですよ」

「そういうお声が上がっているとすれば、慎んでお聞きします」巻島は神妙に受けて、やんわりと訊き返した。「どなたがおっしゃっておられるご意見ですか？」

「……私です」明臣は答える。

「それから？」

「私の息子も……」明臣は少し気まずそうに視線をそわつかせながら続けた。「それから、小向さんのご主人も、そのようなことを……」

「そうですか……分かりました。ご意見はご意見として承っておきます」

「もっと私たちの立場にも考慮をお願いしたいんです」

「承知しています。いろいろ不安になられるお気持ちもよく分かります。しかし、私はそれぞれのお宅にお伺いしてご説明した通りのことを今現在やっているわけですから、それをご理解して頂きたいと思います」

明臣は一つ、重そうな吐息をついた。

「頭では納得していたつもりでしたが……その、何というか……周りの雑音に心をかき乱されるわけでして……捜査に抗議するスタンスで顔を出してくれないかと、ほかの番組からの出演依頼が我々に来たりしておるんです」

「そうですか……それについては私が口出しすることではありませんから、皆さんのご判断にお任せします」

明臣は悩み深そうに、小さな唸り声を喉の奥にくぐもらせた。

「捜査はいい方向へ進んでいるんですか？」

「言えることは、私は〔バッドマン〕を持ち上げたり、ご遺族の方々を邪険にしたりするの

が目的でこの仕事をやっているのではないということです。私は捜査を進めることだけに心血を注いでいます」

巻島がそう言うと、明臣は抱えていた残りのものをすべて腹に収めたような顔をして頷き、おもむろに立ち上がった。

「わざわざご足労ありがとうございました」巻島も立ち上がった。

明臣はいったん背を向けかけて、足を止めた。

「黙って見守ろうという意見の方々もいらっしゃいました」明臣は悲壮感の漂う眼差しで巻島を見た。「我々も今が踏ん張り時だから……力強くそうおっしゃられた方々もおりました」

「そうですか……」

巻島は控えめな微笑でそれに応え、明臣に一礼を送った。

正午間際になって、かつての部下、村瀬が巻島の部屋のドアをノックした。

「向かいの天丼が気に入ったか？」

そんな軽口を挨拶の代わりにして巻島が立ち上がりかけると、村瀬はいつになく硬い表情のまま、巻島から微妙に視線を逸らして部屋の中に入ってきた。

「どうした？」巻島はただならぬものを感じ取って訊いた。

村瀬は巻島の前まで来ると、一瞥するように巻島と目を合わせ、それから小さく首を振ってためらいがちに口を開いた。

「有賀が自殺しました」

「……………」

巻島は思わず息を呑んで村瀬を見返した。思考が何秒か停止し、回り始めると同時に、まとまりのない考えや感情が渦を巻くようにして湧き上がり、巻島の頭を混乱させた。

「いつ？」

「昨日です。日中、母親が出かけてる間に」

村瀬の眼に巻島を責める色が浮かんでいるかどうかを見たが、そこには単純な落胆の陰りが見て取れるだけだった。

「階段の手すりに紐を縛りつけましてね、それを下の廊下側に垂らして、そこで首を吊ったらしいです」

ため息が内にこもるような、嫌な不透明感が巻島の気持ちを満たした。

「ためらい傷も手首や腹にいくつかありましたよ。まあ、二年前にも自殺未遂らしきことがあったんで、またいつかはという気もないではなかったんですがね」

村瀬の口調は無感情と言っていいほどに抑制が利いていたが、それでもかすかにしかめら

れた頬などに、持っていき場のないやり切れなさが浮いて見えた。

「電線が降りてくるって言ってたそうです」

「……？」

「外に出ると電線が降りてきて、絡みついてくる……だから外に出たくないって母親に言ってたそうですよ。まあ、それがこの世に残した最後の言葉みたいなもんですかね」

電線……それが幻覚なのか暗喩なのかは分からないが、どちらにしても、その言葉から染み出してくる暗さは巻島の心の痛覚をひりつかせた。

「他殺の可能性を調べる名目でいろいろ部屋の中を探してますけど、六年前と結びつくものは出てきてません」

村瀬はそう言ってから、遠い目をした。

「まあ、だけど……本当に救いのない人生でしたな」

彼は独り言のような呟きをため息混じりに吐き出した。
〔ワシ〕が自殺した……言い切ることこそできないものの、巻島たちの心証が示している事実はそういうことだった。
あの日以降、今に至るまで、救いのない人生を送っていることだと思う……巻島は一昨日の〔ニュースナイトアイズ〕で、〔ワシ〕についてそう発言した。本心を明かせば、有賀の

ことが頭にあった。

あの言葉が有賀を衝動的な行為へと追い詰めてしまったのだろうか。この自殺に直接的なきっかけがあるとするなら、それしか考えられない。

しかし、それについて正しい答えを言ってくれる人間はどこにもいない。

巻島は、メディアの力という言葉だけでは表現し切れない後味の悪さを胸にくすぶらせるしかなかった。

「何か、しかし、力が抜けましたよ……」

笑おうとしても笑いにならないというような顔をして、村瀬は寂しげに呟いた。

巻島は何の感想も口にできなかった。


午後二時過ぎになって、津田が巻島の部屋に顔を覗かせた。

「手紙、今日の配達分にありましたよ。今、指紋採取をやってます」

「そうか……」

V類の作業班も今では十名に増員されている上に、公開捜査が巻島と〔バッドマン〕の対話路線に移ってきたことで一般の情報提供が相対的に減少し、本物の〈バッドマン〉の手紙が選り出される時間も大幅に短縮されるようになっていた。

この捜査の手法を巡って、あるいは巻島個人の疑惑めいた事情を巡って周囲の雑音が大きくなってきただけに、〔バッドマン〕が興醒めして〝退《ひ》く〟のではないかと、捜査一課の幹部連中から訊いてもいない読みを聞かされていた。それがとりあえずのところ杞憂に終わり、軽い安堵があった。しかし、意識全体に脱力感があって、その安堵はあまりに手応えがないものだった。

「何だかお疲れのようですな」津田が何気ない口調で言う。

「いや、疲れてはないがな……」

巻島は言いながらも背もたれに身体を預け、束の間、放心してみた。

「津田長……」

津田が、何ですかというように巻島を見る。

「俺は是か非かの答えも出さないままにこれをやってる」

津田は頷くこともせず、ただ巻島を見ていた。

「いいのか悪いのか分からない。没頭してやってても、足元がそうだから、ふと我に返って変な気持ちになる」

弱音をそのままにしてこぼすと、津田はいたずらっぽく笑ってみせた。

「繊細なんですな」

「自分の言動が他人の人生を変えてると思うと、繊細にもなるさ」

「どうでしょう……案外、自分の人生のことを他人のせいにできないことくらい、みんな分かってるんじゃないですかな。いろんな意見がある社会で生きてるわけでね、みんな自分で落としどころを見つけてやってるわけですよ」

「達観か……無責任か……」

「両方ですよ。なるようにしかならないってことです」

「そうだな」

巻島はぽつりと呟き、苦い気分を無理に呑み下した。

*

巻島史彦へ
おう、お前、ずいぶんとバッシングを受け始めてんな。めげるなよ。フハハハハ。
まあ、言いたい奴には言わせときゃいいさ。どうせ偽善者どものたわごとよ。俺様はお前

の気持ちがよく分かるぜ。俺様を引っ張り出すために俺様をかたって偽の手紙をでっち上げるなんざ、涙ぐましいくらいにせこすぎて怒る気にもなりゃしねえ。それから相模原の事件のこともよく覚えてるぜ。あれもお前だったとはな。なるほどと思ったよ。やっぱりお前も犯罪なんて被害に遭うほうが悪いと言いたいんだろ。そこが俺様とお前に通じるところだよな。

とにかく世の中、自分さえ幸せならそれでいいって野郎ばっかで本当にむかつくぜ。ガキどもなんか何の悩みもなく遊んでるだけで、しかも生意気ときてやがる。それを見てたら、ちょっといじめてやろうって思うのが普通だろ。まあ、暇だからこそできる遊びだけどな。今日はこんなとこだな。お前の悩みもあったら聞くぜ。フハハハハ。

じゃあな。阿婆世。

帰ってきたバッドマン」

*

「で、指掌紋はどうでしたか？」

県警本部の別室で巻島の訪問を受けた植草は、彼から受け取った手紙のコピーをもう一度、

目で追いながら尋ねた。

「いえ……それが、今回のは片鱗さえも採取できませんでした」

植草は顔を上げた。「できなかった？」

「ええ。たぶん、先日の〔ニュースライブ〕で迫田さんが指紋について解説したのが影響したんだと思います。歴然と変わってますから」

「そうですか……それは困りましたね」植草は自身の後ろめたさを、作ったしかめ面で覆い隠した。「目算が違ってきますか？」

「といっても、これを続けるしかないでしょう」

「今度の投函は誰か網にかかったんですかね？」

消印は昨日の午前中、新宿局となっている。

「それは確認中です」

「ふむ……運に恵まれるのを期待するしかないというのも苦しい話ですね」

応えようがないのか、巻島は何も言わなかった。

「当たりがなければ、引き続き〔バッドマン〕にいい顔をしてというやり方で？」

「別にいい顔をしてるわけじゃありません。特殊犯罪の交渉でも相手を人間扱いしなけりゃ何も始まらない。それと同じですよ」

巻島は雑音など我関せずという態度を決め込んでいるが、それで済まされるほど悠長な事態ではなくなってきている。テレビはワイドショーなどでも巻島の疑惑を取り上げ始め、駅売りの新聞や雑誌でも巻島の記事が載らない媒体はない。県警本部にかかってくる市民からの抗議電話はあとを絶たず、巻島からの報告はないものの、捜査本部にはそれ以上の抗議の声が集まっているとの噂が植草の耳にも届いている。もちろん、記者クラブからの突き上げは収まる気配もない。

「私のところでだいぶ止めてますけど、いろんな声が内外から出てるのは承知してますよね？」

「恐縮です」巻島は表情を変えることなく口だけを動かした。

「正直言って、巻島さんが方々から叩かれてどうにもならなくなっても、本部長がそれをかばうことはないと思いますよ。これは巻島さんを心配して言うんですけどね」

「分かってます。これが最初じゃありませんから」

きつい冗談かと思い、植草は笑ってみたが、巻島は相変わらずの無表情だった。

植草も顔を引き締めて、話を続けた。

「僕も精一杯のフォローはします。でも、リミットは迫ってきてますよ」

そのうち、観客たちの罵声が舞台を立ち行かなくさせる……巻島も分かっているはずのこ

とだった。

巻島が出ていき、部屋に一人残った植草は、早速、携帯電話で未央子に連絡を取った。

〈この時間に植草君からかかってくると、ドキドキするわね〉

つながって早々、未央子の冗談めいた言葉が挨拶代わりに届いた。今では植草からのコールには専用の着メロがつけられ、未央子は何をおいても最優先にそれを取るようになっているらしい。実際、植草が彼女に電話をかけて焦らされることはない。逆に植草は、未央子からかかってきた電話をわざと取らなかったり、「今、忙しいから」と素っ気なく切ったりすることがある。そのあと連絡を入れるとき、電話に出た未央子の声音に安堵の色が混じっているのを植草は聞き逃さない。それを聞いて、一人愉悦感に浸るのだ。

「そのうち、俺の声を聞くだけでドキドキするようになるさ」

〈パブロフの犬ね〉未央子が楽しそうに返す。

学生時代はこんなふうに打ち解けた会話もなかった気がする。未央子のほうに壁があったからだ。やはり、女は追わせるようにしなければならない。植草はつくづくそう思う。

「次の手紙が来たよ」

〈本当!?　で？〉

未央子の弾むような声を聞いたとたん、指紋が採れなくなったことへの後ろめたさなど、どうでもよくなった。

「軌道に乗ったと思うよ」都合よく取っているわけではない。事実そうなのだと植草は自分に言い訳する。「あんまり未央子たちが巻島を叩くんでどうかと思ったけど、〔バッドマン〕には関係なかったみたいだな。逆に親近感を出してきてる。まあ、巻島の狙い通りだし、当分、今の方向でやり取りを続けるらしいよ」

〈じゃあ、私たちも今の方向で行けばいいわけね〉

電話をする前には迫田のでしゃばり過ぎに少し釘を刺しておこうかとの思いもあったが、出てきた言葉は違った。

「ああ、もっと絡んでいいよ。〔ナイトアイズ〕の公開捜査は、巻島と〔バッドマン〕のランデブーになる。視聴者は置いてけぼりだ。非難の声はますます大きくなるだろうから、それを〔ライブ〕が先にすくい取るんだ」

〈うん、分かってる〉

この公開捜査で本当にランデブーしているのは俺と未央子だ……そんなことを恥ずかしげもなく思い、植草は心の中で失笑する。

〈でも、遺族のほうがバッシングに二の足を踏んでるから、あと一つ決め手に欠けるのよね。

どうしてだか、まだ巻島さんを信用してるみたい。そこを崩したいんだけど……巻島さん、捏造の件はまだ認めてないの？　会見もしないつもり？〉

「すっとぼける気なんだ。だから今、内々で調査してる。彼も焦り始めてるのは確かだよ。勝負を急いでくると思う」

〈急いでくるって？　指紋が採れたってこと？〉

「いや……そっちはまだ難しいみたいだな」

〈じゃあ、手紙を投函した不審者が何人か挙がってるとか……？〉

「いや……あ、悪い。じゃあ、あとで文面を送るよ」

最後はあたかも用事ができたかのように素っ気なく電話を切った。捜査が迷走しているのをさらし過ぎるのも、未央子に水を差してしまう気がした。

要は、巻島がこの事態をどう打開するかだ……虫がいいのを承知で、巻島には容易に潰れないしぶとさを期待している。そうでなければ面白くない。

そういえば、捜査本部のV類班に配属された舟橋に、巻島が捜査本部を空けることになる時間のメールを打っておいたが、彼はうまく巻島の掌紋を手に入れただろうか。

そんなことを思いながら、植草は携帯電話を仕舞った。

＊

宮前署に戻った巻島は捜査本部を覗き、本田にあとで顔を出すよう告げて別室に入った。

椅子に座り、かばんから捜査報告書の束を取り出したところで、机の上がきれいに水拭きされていることに気づいた。

刑事部屋でお茶を淹れたり机を拭いたりするのは新人刑事の役回りだが、こういう臨時の執務室までは手が回らないのか、あるいは遠慮があるのか、今までは机の上を雑巾拭きされていることはなかった。気にならない程度に埃が浮いていた。

机の上には電話と筆記具、県内地図、今朝の新聞などが無造作に置いてある。捜査資料はかばんに入れて持ち歩いているから、留守中、誰が入っても、たとえそれがたちの悪い記者であっても困ることはないのだが、朝ならともかくこの夕方にというあたり、どこか違和感があるようにも感じられた。

ノックの音がして、刑事特別捜査隊の中では一番の若手である市川《いちかわ》がお茶を運んできた。毎朝、巻島にお茶を淹れる役をこなしているのが彼であり、外出先から戻ってきたときも、気づく限りは当たり前のように専属のお茶当番を引き受けてくれている。

「ここを拭いてくれたのは君か?」

そうならばごく普通にねぎらうつもりで訊いたが、市川が「いえ」と首を小さく振ったので、何となく収まりの悪い気分がそのまま残ってしまった。

市川が部屋を辞すのと入れ替わりにして、本田が入ってきた。

「今日も出演ですか?」軽い口調で訊いてくる。

「そんなとこだ」

本田は捜査本部に届けられた郵便物その他の全情報が各類に分けられ、それぞれの班において処理されていく作業全般を統括しているので、本物の〔バッドマン〕からと思われる手紙がV類の作業班に送られていることも当然のごとく把握している。

「ちょっと訊くけどな」巻島は少し身を乗り出して本田を見た。「〔ニュースライブ〕や迫田氏なんかと特別付き合いのある幹部クラスの者はいるのか?」

「いや、特別と言われると、そういうつながりは知りませんけどね……」

「何か不自然な動きをしてる人間がいるかどうかなんだ」

「というと?」本田は巻島の机の向かいに椅子を持ってきて座り、腕を組んで問いかけてきた。

「俺が狙いらしい。俺がどんな情報を持ってるか。何を考えてるか。何をしようとしてるか。

俺の周りがどうなってるか。それが迫田氏かあるいは〔ニュースライブ〕の関係者にリークされてる気がしてならない。当人に悪気があるかどうかは知らないが、このままだとこの先、何かと動きづらいことも出てくるんでな」

「ふむ……確かにあの人、ときどきドキッとすることを言いますなあ。情報としては幹部会議に出てれば得られる程度のものですし……なるほど……」

頰を撫でながら思案顔をしていた本田は、不意にニヤリと笑みを浮かべた。

「じゃあ、燻《いぶ》り出してやったらどうですか？」

「燻り出す……？」

「例の宮崎事件であったでしょう。新聞の一面に宮崎のアジト発見って、でかでかと載ったやつが。あれも出どころの分からないリークが横行したんで、ガセをでっち上げてみたら、まんまと罠に嵌まったやつがいたっていう話だったと言われてるでしょう。あれをやればいいんですよ」

「ずいぶん強烈な燻り方だな」

巻島が苦笑気味に言うと、本田はかぶりを振った。

「タヌキしかいませんからね。それくらいじゃないと出てきませんよ」

巻島は本田と目で笑い合った。

「検討しよう」

犯罪被害者に非があるとは思わないが、世の中の事件において、犯罪を起こした者の事情が往々にして聞くに値しない言い訳のように扱われ、その切実な心情が一切汲み取られることなく、ただただ人道にもとる行為のみが一方的に非難されるのは一種の民衆ファッショであり、決していい風潮とは思っていない。それは私が今まで数々の事件捜査に携わっているときに常々思っていたことで、その多くは加害者側にも同情すべき点、共感できる点が存在した。

だから、この事件も例外ではないと思っている。君の事情をもっと訴えてほしい。暇だからできたとあるが、それはどういうことか。会社のリストラに遭って、仕事をなくしたのか。就職活動がうまく行かず、定職に就けないのか。何かのトラブルで家を出ているのか。それは今現在どうなのか。やみくもに社会を批判するだけでは言葉が足りない。もっと詳しく君の事情なり心情なりを吐き出して、いくらかでも社会の共感を勝ち取ってほしい。私はその手助けをしたいと思っている……。

その日の〈ニュースナイトアイズ〉に出演した巻島が〈バッドマン〉に向けて送ったメッセージはそのようなものだった。

韮沢は釈然としないような表情を作り、「とにかく本音を聞きたいですね」と短いコメントを意味深に付け加えて締めくくった。

放送直後から、ミヤコテレビの報道局や宮前署の捜査本部には抗議の電話が前にも増して相次いだという。〔ニュースライブ〕ではいつも同様、何の混乱もなく新たな手紙についての検証がなされ、迫田からは遺族感情を無視した巻島の姿勢に忌憚《きたん》のない辛口の発言が浴びせられた。

＊

「今日はいつも町の安全のために一生懸命働いてる警察のことを少しでも市民の皆さんに知ってもらえるよう、精一杯頑張りたいと思います。よろしくお願いしまーす！」

「ちょっとドキドキしてますけど、今日一日、明るく元気に頑張りまーす！」

「婦警さんの制服が着られて嬉しいです。頑張りまーす！」

「今日は四人の力を合わせて、一人でも多く犯人を逮捕できたらいいなと思います。頑張りまーす！」

「はい、ありがとうございます。犯人を逮捕するのはちょっと難しいと思いますけどね、そ

の勢いで〔マイヒメ〕の四人には今日これから、元気に一日署長を務めて頂きたいと思います……」

　風の強い日だった。壇上で溌剌《はつらつ》と挨拶をしている少女たちの髪がなびき、タイトスカートにもかかわらず、その裾がはためいている。

「おいチョンボ、お前、まだそんなとこにいたのか？」

　宮前署の表玄関前は、一日署長の任命式場を囲む人だかりで身動きもかなわない有様になっていた。しかし、小川かつおは好んで人だかりに割って入り、頬を緩めながら〔マイヒメ〕の艶姿を眺めていた。そこへ、後ろから戸部の冷たい声が飛んできたのだった。

「いやあ、僕、〔マイヒメ〕のファンなんですよねえ」

「頑張りまーす！」と言いながら力こぶを作っていた彼女らの姿を目に焼きつけたままに言うと、力の加減もなく頭をはたかれた。

「お前は本当、緊張感ねえな。またこんなとこテレビカメラに撮られたらどうすんだ」

「そうですよねえ」

「しかし、何もこんな時期にやることたねえのになあ」戸部は呆れたような顔で壇上のほうを見た。「まあ、前から決まってた話なんだろうけど、それにしてもよ……」

　不意に警察署の外、富士見坂のあたりが騒がしくなったので、戸部は言葉を切ってそちら

を振り返った。小川もつられてそうした。

正門付近に、プラカードと横断幕を掲げた集団がいつの間にか集まっていた。任命式の進行が中途半端に途切れたところで、集団の先頭に立つ一人の女性が拡声器を手にした。

「お取り込み中のところ、大変失礼します。お集まりの皆さん、我々の話に少しだけ耳を傾けてください。我々は市民の平和と人権の尊重、快適な社会生活を実現するために活動している市民グループ〔川崎フォーラム〕の有志一同です。我々はテレビメディアを使って嘘八百を並べながら犯罪者を庇護し、同時に犯罪被害者や遺族を不当に貶《おとし》める言動を繰り返しているなお、捜査に何の進展も見られないどころか社会を混乱させているだけの川崎男児連続殺害事件捜査本部、あえて特定するならば捜査責任者の巻島史彦氏に断固たる抗議をし、その姿勢を正してもらうよう、決起してここにやって参りました。本日は巻島氏本人と面会し、抗議文をお渡ししたいと思います……」

そういう算段ができていたのか、彼らの周囲を早くもテレビカメラが取り巻いている。

「何だかすごいことになってきましたねえ」

「おい、そんなとこにぼけっと立ってないで、さっさと裏から行けよ」

戸部が小川の腕を引っ張って言う。しかし、彼の視線も呆れ加減に市民グループのほうへ

向いていた。

「けど、まあ、この帳場も尻に火がついてきたな。巻島さんが飛ばされるのも時間の問題だぞ。うちの上も口を開きゃあ、巻島バッシングだからな。あの人も八方ふさがりってやつだよ」

「いい人なんですけどねえ」

「しかし、実際、やってること訳分かんねえのも確かだぜ。まあ、噂によれば結構上のほうから出たアイデアで、巻島さんはただの汚れ役っていう話もあるけどな。これだけの騒ぎになって、まだ何のメスも入らないってことは案外そうかもしんねえけど、五百人動かして結果が出ないんじゃ、どっちにしたって長くはねえだろうな」

「みんな一生懸命やってるんですけどねえ」

そう言ったとたん、小川は戸部に頭をはたかれた。

「お前はやってねえだろ」

*

「やっと静かになりましたねえ」

別室に入ってきた本田は、苦笑いを浮かべながら巻島に何かの紙を差し出してきた。

「見ますか？　抗議文」

巻島はねぎらいを込めた失笑を本田に送り、目で自分の机を指した。

「まあ、でも、そんなに落ち込むこともありませんよ」本田は抗議文を机の片隅に置いて続ける。「客観的に見て、世論全部が捜査官を叩いてるわけじゃありませんから。よく好きなタレントと嫌いなタレント両方にランクインするスターがいるでしょ。そんな感じだと思いますよ」

「そんなに俺が落ち込んでるように見えるか？」

本田は笑って首を振る。「いやいや、騒がれるうちが華という話ですよ。この子たちだって、あと何年かしたら影も形もなくなるかもしれない。これ、いりますか？」

そう言って本田は、一日署長を務めているアイドルグループによる薬物撲滅キャンペーンの特製ポストカードを寄越してきた。

「一平君に」

「まだ喜ぶ歳じゃないな」

巻島はそのポストカードを抗議文の上に載せた。

「で、それは？」

巻島は、本田が手に提げている紙袋へ視線を移した。

「できましたよ」本田は紙袋の口を巻島に向け、中に詰まった十数本のビデオテープを見せた。「自分の息子だけに多少心配しましたけど、結構うまくやってくれましたよ。興味が勝つんでしょうな。小遣い程度で済むんだから御の字です」

「こういうのも捏造って言うのか?」

巻島が口調に苦味を乗せて言うのに対し、本田はニヤリと口を動かした。

「ただのトラップですよ。別に世間に公表するわけじゃない。少なくとも捜査官と私にその意思はないんですから」

五十歳の後輩にウインクされて、巻島は苦笑する。もちろん、彼が言う意味の裏には、自分たちではない誰かがこのテープを世間に公表してくれることへの期待が隠されている。

「だいたい、息子に言わせると、映像の世界じゃ捏造と演出は同義語らしいですよ」

本田がコンピュータ・グラフィックスを趣味にしている息子に作ってもらったビデオテープというのは、あるおもちゃ売り場で〔ビートルキング〕を買う中年男性を映した防犯カメラの映像である。元は洗い出しの結果、簡単に身元が割れて事件とは無関係であることが判明した人間の映像なのだが、それを巧妙にコンピュータ加工して、新たに手に入った映像という形にしてある。人物の容貌も細かく修正されていて、世の中に存在しない人間になって

いる。また、マスコミが人権問題を気にせずに扱えるよう、画像全体を不鮮明にしてあるのも味噌だ。

そして、その映像はビデオテープ一本ごとにも個別の加工がされている。レジのカウンターに置かれている紙袋の束の位置が微妙にずれていたり、店員の立ち位置や動きが違っていたりしている。同じ映像は一つもない。

これを重要資料と称して捜査幹部らに配るとどうなるか……もし、この映像が〈ニュースライブ〉でスクープとして取り上げられたとしたら、誰のルートで流出したかが、たちどころに分かることになる……それが、特殊犯係で一癖も二癖もあるヤマを乗り越えてきた本田が編み出したトラップだった。

「迫田氏の周辺にリークしてるってことは、捜査官を妨害する意図があると見なされても文句は言えないわけですよ。そういうことをするからには、私と捜査官のところにあっけなく犯人へたどり着こうとする動きがあると分かれば面白くないでしょうし、横やりの一つも入れたくなるというもんでしょう。絶対、ビデオは流出しますよ」

捜査幹部の中からは、露骨に巻島の指揮能力を疑う声も出てきている。本田の読みはそんな現状を踏まえてのものには違いない。

「気が進みませんか？」

本田が巻島の顔を覗き込んで訊く。

「いや、進む進まないは関係ない。どうなっても俺が表に立つから、どんとやってくれ」

「いいんですよ、私のことなんか。しかし、あれですね……そんな捜査官が〔バッドマン〕の手紙をでっち上げたなんて言ってるやつがいるんですから、馬鹿馬鹿しい話ですよ」

「君だけだな、そんなことを言ってくれるのは」

巻島が言うと、本田は照れくさそうに鼻をこすった。


この日、アイドルが一日署長を務めるイベントなどとの兼ね合いによって、署内が平静に戻る午後に幹部会議の予定を組んでいたが、巻島は急遽それを午前中に変更した。変更理由はもちろん、その場で本田に捜査の〝大きな進展〟を報告させるためだった。

巻島としても、このトラップを捜査本部内々で処理し切ってしまいたいという思いがあった。余計な報告をいちいち曾根にまで上げたくはない。だから、幹部会議に顔を出すのが当たり前となった植草をこの日ばかりは外しておきたいという狙いがあり、わざと会議の時間を繰り上げたのだった。

「重要な報告です」いつもの辛気くさい空気を裂いて、本田が会議の口切りをした。「例の〔ビートルキング〕ですが、メーカーのロボトップの協力を得まして、物証と同じ型がいつ

どこで売られたかという洗い出しを当初から続けてきておりました。対象地域を現場周辺の川崎三区からほかの川崎地区、あるいは横浜、東京と範囲を広げて調査を進めていたのですが、このたび、厚木のほうで昨年七月当時の防犯カメラのテープを保管しているスーパーが見つかりまして、それを班員のほうで確認してみたところ、大変重要度の高い事実が明らかになりました」

「厚木か？」

巻島はその言葉に、不自然ではない程度の驚きを乗せてみた。

「ええ、現場からはかなり離れてるんですが、その関係を結論から言うと、こういうことです。つまり、皆さんはご存じでしょうけど、大手自動車メーカーのシマザキが業績不振のために一昨年、高津工場を閉鎖しました。川崎の高津です。これで周辺の下請け関係を合わせて、およそ二万人の労働力が浮いてしまったということです。で、そのうちの半分以上が厚木工場とその周辺の下請け企業に回されました。しかし、厚木工場のほうもさらなるリストラの対象となって、昨年の三月頃から二割の人員削減を敢行しております」

その話そのものは新聞などで取り上げられた事実の通りなので、本田が取り澄まして話しているると、この報告自体、真に迫って聞こえる。

「で、厚木のスーパー・イワイヤのビデオに映っていた〔ビートルキング〕の購入者は、身

元をたどっていった結果、高津工場から厚木工場へ移り、去年の春に再度のリストラを受けた男性であることが分かりました」

巻島は短く唸り、「よく今になってそんな映像が出てきたな」と応じた。

「一応、参考資料として、ダビングしたものをお持ちしました」本田は無表情で言って、紙袋を掲げた。「ちょうどこの時期、この売り場でアルバイト店員がレジのお金をくすねる事件が続いていたそうです。それを調査していた担当者がテープを保管していたということでした」

「ふむ、なるほど……で、その男の素性は？」

「野々上充《ののがみみつる》、三十七歳。職業不詳、独身です。現住所は厚木市戸室《とむろ》。1DKの古いアパート住まいですが、この五日ほどアパートに戻ってきた形跡がなく、所在が摑めておりません。現在、友人、女性関係を洗っています。この野々上は近所ではちょっとした奇行で知られておりまして、登下校している小学生にアパートの部屋から菓子を袋ごと投げ与えたり、一緒に遊ぼうと唐突に声をかけてきたりという話も入ってきています。シマザキの記録によると、彼の作業靴のサイズが第一の現場などで採取された足跡と同じ二十六センチであるという確認も取れています」

「濃いな」巻島は独り言のように言う。「ガサを入れるには早いか……とりあえずは監視下

に置くのが先だな」

「はい。そうすれば、手紙の投函を確認して一気に片がつくと思います」

「それの映像は顔が分かるほど鮮明なのか？」

「いえ、後ろ姿ですし、鮮明というわけではありませんが、まあ、身体的特徴を知る上では有効でした」

「そうか……もし野々上の所在確認が手間取るようだったら、〔ニュースナイトアイズ〕でこれを流して、プレッシャーをかけてみる手もありそうだな」巻島はビデオテープをしげしげと見ながら呟く。

「効果は大きいと思います。お任せします」

「よし、そちらはその線で行ってくれ」

お互い、渋い表情を作って頷き合った。

もちろん、本田のウインクはなかった。

＊

〈舟橋です〉

昼食に出ようと県警本部一階のロビーを歩いていた植草の携帯電話に、緊張した声が届いた。

「おう、お疲れさん」植草は立ち止まり、周囲を見渡しながらロビーの端へ寄った。「どうだ?」余計な口を挿まずに訊く。

〈採りました。捜査官が使ってる机から気づかれないように〉

「ふむ……で?」植草は軽く声を上ずらせて先を促した。

〈一致しませんでした〉

「………」

予想になかった言葉を聞いて、植草は何秒か思考が止まった。

「ちゃんと巻島の掌紋を採ったのか?」

〈間違いないです〉頼りなげな口調ながらも、舟橋は断言した。〈同じ紋を五つ採ってます。違う紋はありませんから〉

偽の〔バッドマン〕は巻島の捏造ではなかった? ならば、どういうことだ?

いや……。

「分かった。悪いけど、今度は別の人間のを採ってみてくれ。V類班にいる津田と西脇は巻島の信頼も厚い。それから本田も巻島の腹心だ」

〈本田警視ですか?〉舟橋の声がいっそう強張る。

「そう、捜査本部のナンバーツーだ。何とかしてそいつらの紋を採ってこい」

〈はい……分かりました〉

舟橋の硬い返事を聞いて、植草は携帯電話を切った。

巻島でなければその三人の中にいるはずだ。それ以外の可能性は、今の植草の頭には浮かばない。

何となくすっきりしない気分を持て余した植草は、そのまま宮前署の巻島に連絡を入れてみた。

「昼を過ぎて二、三、仕事を片づけたら出ますけど、特に大きな問題はないですね?」

軽い確認の意味で訊いたつもりだったが、ここでも巻島から予期せぬ答えが返ってきた。

〈特に何もありませんし、会議も午前中に済ませてしまいましたが〉

「え……今日は行事の混乱を避けて、三時頃にするという話だったんじゃ……」

〈そうだったんですが、十一時過ぎには署内も比較的落ち着きましたし、メンバーもちょうどそろってましたから〉

それならなぜ知らせてくれなかったのかと植草が問い詰める前に、巻島が続けた。

〈それに、今申し上げたように、特に大きな変化もなかったので〉

植草は舌打ちを抑えて、「そうですか」と応えた。

「でも、今日またこれから、新しい手紙が出てくる可能性もあるわけですよね？」

〈もちろん。その場合はまた、課長に改めてお知らせします。付随して再度の会議を招集するときも〉

「そうしてください」

あとは、市民運動のグループが署の前でシュプレヒコールを上げていたという、どうでもいい報告を聞いて、巻島との電話を切った。

昼休みの間に、未央子がいつものように自宅から電話をかけてきた。

〔バッドマン〕からの新たな手紙も来ていない、偽の〔バッドマン〕と巻島の掌紋も一致しなかったとあっては、彼女に話すことも冴えない内容に終始した。ただ、それも植草の主観的な思いに過ぎなかったようで、未央子は市民グループの抗議程度の話にも、巻島が相当参っていたと色をつけて聞かせてやると、興味深そうな反応を示してくれた。

「じゃあ、また何かあったら知らせるよ」

〈うん、お願いね〉

無難に話を済ませたものの、植草の中にはもやもやしたものが残っていた。自分が把握していたつもりだったもの、見通していたつもりだったもの……それが微妙にずれている……

ずれ始めている……そんな戸惑いがあった。まだまだ巻島を追い詰めても構わないはずだし、まだまだそうやって公開捜査を盛り上げるべきなのだ。

ありえないとは思いつつも、巻島が自分の掌中からするりと逃げてしまうような、妙な胸騒ぎがする。

そんなふうにさせるつもりはないが……。

考えているうちに、何となく食欲がなくなってしまった。

＊

「ねえ、いずみだけど」

巻島が始まったばかりの〔ニュースライブ〕を居間で見ていると、キッチンのほうで電話をしていた園子がコードレスフォンを手にしながら歩み寄ってきた。

いずみだけど、と言いながら、巻島はそれが園子のほうからかけた電話であるのを知っていたので、大した話があるわけでもないとも思っていた。テレビ画面のほうに目を向けたまま、電話を受け取った。

「もしもし」

〈あ、お父さん、元気?〉

いつもと変わらぬいずみの声だった。

「まあ、何とかな」

〈いつも見てるわよぉ。結構、裏番組とかじゃ、いじめられてるみたいだけど〉

巻島は笑って受け流した。「そっちはどうだ?」

〈うん、まあ、変わりないわね。お父さんも変わりなさそうでよかった〉

「ふふ、俺を心配してくれるか」

親離れしているとはいえ、実の父がテレビを始めとする各メディアにいいようにいじられている姿を目にする子供の立場というのも複雑だろうなと気づかされる。

〈今度の週末、もしよかったら日帰りで温泉でもどうかって、彼が言ってるんだけど……難しいよね〉

「うん……ありがたいけど、お父さんはちょっと無理だな」

〈そうよねえ……お母さんもそう言ってた〉

「いや、お前たちは別に気兼ねしなくていいぞ。四人で行ってきなさい」

〈ううん、無理することでもないし……私も今は特に行きたいわけじゃないから〉

いずみの言葉は、巻島に気を遣っている以上の消極的なニュアンスがこもっているように

思えた。

ふと気になって訊いてみる。

「マスコミの連中、いずみのとこにも何か言ってきたりしてないか？」

〈こっちは心配しなくていいわよ〉

明確な否定ではない。

考えてみれば、六年前の事件での巻島の不始末ぶりまでが取り沙汰されている以上、何がしかのゴシップを拾おうとしているマスコミの一部がいずみのもとまで取材の手を伸ばしていることは、十分あり得る話だった。六年前も、巻島が被害者より大事だと言い切った娘の病状とはいったいどの程度のものなのか、いずみが入院している病院の集中治療室まで潜り込もうとした記者がいたほどだった。

「悪いな、いろいろ気を遣わせて」

〈だから、こっちは大丈夫だって〉いずみは笑いを混ぜて言う。

「ふむ……どちらにしろ何かあったら遠慮なくお父さんに言ってくれ。一平は相変わらずか？」

〈うん、元気よ。寝ちゃってるから電話には出せないけど。あの子、最近はニンジンも食べれるようになったのよ。今度はピーマンに挑戦ね〉

「そうか」一平にも嫌がらせの類が向けられていないか重ねて訊こうとしたが、いずみに余計気を遣わせるだけだと思い、口にはしなかった。「今度、遊びに連れてきなさい」

〈そうね。暇見て行くよ〉

いずみの明るい返事を聞いて巻島は満足し、コードレスフォンを園子に返した。

視線だけ向けていた〔ニュースライブ〕では、宮前署前での市民運動グループの抗議デモの様子が映し出されていたが、川崎事件関係のニュースはそれだけだった。

トラップには誰も引っかからなかったということだ。

一日だけで判断するのは早過ぎるか……巻島は考える。しかし、今までの様子からして、その日のうちに〔ニュースライブ〕あるいは迫田へ情報が流れても何らおかしくはないと見ていた。捜査の急展開を告げる情報だ。明日にも被疑者の居所が摑めるかもしれない。そのまま急転直下で逮捕となっても不思議ではない流れだ。その見通しに鈍感な捜査幹部はさすがにいないだろう。

それとも、トラップとするには大き過ぎたのだろうか。さすがにこれをリークすれば、捜査に重大な支障が出る……そう判断して自重したか。捜査態勢に不満があるとはいえ、そこは腐っても一刑事の理性が働くということか。

とりあえず、この罠はもう一日そのままにしておいたほうがいいだろう……巻島はそんな

結論に行き着いた。ただ同時に、こうなれば、もう一つトラップを増やしておく必要があるなとも思った。

しばらくして電話が鳴り、園子が再びコードレスフォンを持ってきた。相手は本田だった。

〈肩透かしですね。期待して見てたんですけど〉

本田は本気と冗談がない交ぜになったような口調でそう言った。

「まあ焦るな。もう少し様子を見よう。悪いが息子さんにもうワンパターン、あのテープを作ってもらって、明日持ってきてくれないか？」

〈はあ……いいですけど〉

「じゃあ、頼む」

そんな短いやり取りで、本田との電話は終わった。

翌日、捜査本部入りした巻島は、別室に落ち着く間もなく、警察庁帰りの曾根から呼び出された。そして一時間後には、県警本部九階の本部長室でいつものように植草と肩を並べることとなった。

「ずいぶんと嫌われたもんだな巻島、ええ？」曾根は意地悪そうな笑みを顔面に貼りつけ、

巻島を睨み上げてきた。「抗議デモを受けるようになったら、嫌われ者としても一人前だ。俺でも経験がないぞ」

「そうでしょうね」巻島は感情を消し、淡々と応えておいた。

「ファンレターも来てますよ」隣から植草が言う。

「冗談にもならん」曾根は顔を一振りして、笑みをすっかり消した。「長官からじきじきに苦言を頂戴したよ。市民の信頼を得る形の捜査をするように……すなわち、いわく因縁のついた捜査官をテレビに出して、いたずらにスキャンダラスな話題だけを振りまき、あげくに成果も上がらんようなことはするなということだ」

曾根は巻島の顔をじっと見つめながら続ける。

「もちろん、それをはいはいと聞く俺じゃない。ちゃんと言っておいたよ。『犯人逮捕はもうすぐそこまで来ています。ですから、あとほんの少々、静観して頂きたい』とな」

曾根は無言の間を挿み、少しだけ首を傾けた。

「それでいいよな？　まさか嘘を言ったことにはならんだろ？」

巻島は鼻白んだ思いを隠し、視線を外した。

「努力します」

「工夫しろ」

曾根はかぶせるように言い、両手を机の上で組んだ。

「手紙の投函で消したリストは何人ぐらいになった？」

「約五百人です」

曾根は舌打ちする。「それだけ潰してもまだ当たらんのか？」そう言って嘆息し、引きつった目元の筋肉をほぐすように眼をしばたたいた。「リストの残りは何人だ？」

「何人と言われましても……リストは絶えず動いてますから」

「いったい何人潰せば当たりが出るんだ？　これまで一年の間に何人潰した？　千人か？　二千人か？　もういい加減、その中にいるんじゃないのか？　おざなりの裏づけで見逃してるんじゃないのか？」

「もちろんその可能性も考慮してリストを作り直しているわけです」

曾根は飛んでいる虫でもはたくように手を振り、勝手に話を打ち切った。

「とにかく、そういうことだ」

巻島は植草とともに一礼し、本部長室を辞することにした。

「巻島……」

部屋を出ようとする巻島を曾根が呼び止める。

「ケツに火がついてるぞ」

ニヤリともせず、彼は巻島の尻を指差した。

「だいぶ追い詰められてきましたね」

通路を歩きながら、植草が困り加減に話しかけてきた。

巻島は肩をすくめてみせる。「といっても、やれることをやるしかないでしょう」

巻島が作った余裕を嗅ぎ取ったのか、植草はふと巻島の顔を覗くように見た。

「それは勝算あっての台詞ですか？」

巻島は首をどちらにも振らずに言う。「もともと私は勝算があってこの捜査を受け持ってるわけじゃありません。ただ、何もしないよりは可能性があるかもしれないと思ってやってるだけです」

植草は顔を前に戻して嘆息した。「難しいですね、この仕事は」

「でも」植草の視線が再び自分に向けられるのを待って、巻島は続ける。「幸いなことに今、大きな可能性が見えてきてます。もしかしたら勝算と言ってもいいかもしれない」

「というと？」植草は立ち止まった。

「中で話しましょう」

巻島は空いている会議室を探して、植草を誘った。

「これなんですが……」

巻島は自分のかばんを開け、今朝本田から受け取ったばかりのビデオテープを取り出した。

本田が捜査幹部らにしたのと同じ話を植草に聞かせると、彼の相槌にかすかな昂ぶりがにじんだ。

「幹部会議の出席者にはこれと同じものを渡してあります。課長にも参考資料としてお渡ししておきますが、マスコミ発表に踏み切るかどうかの判断は私に一任してください。とりあえずはこの重参を監視下において、手紙の投函を確認する。それが優先です。ただ、所在が摑めないとなると、〔ニュースナイトアイズ〕で映像を流して、重参を追い詰めてみるという手も考えてます」

「その判断は時期的に言うと、どれくらいで？」

「ここまで来れば時間はかけないつもりです。どちらへ転んでも二、三日のうちに動くと思います」

「なるほど……でも、どうして本部長に会う前に話してくれなかったんですか？」植草は少しばかり不服そうな一瞥を向けてきた。「このことを報告すれば、本部長の言葉も違ってたでしょうに」

「ご覧の通り、本部長は焦ってます」巻島は冷静に返した。「対して、この重参もまだ確定

とは言い切れない。本命であるだけに、報告は慎重に上げるべきだと思います。手紙の投函を確認して、引っ張ってからでも遅くないと思います」

「ふむ、そうですね」植草は少し考える素振りを見せてから、納得したように頷いた。「分かりました。慎重に進めてください。ただし、僕には逐一報告をお願いします」

「はい」

巻島は控えめな笑みを添えて応えた。

「今朝はありがとう。仕掛けておいたよ」

巻島の専用別室を訪ねてきた本田に、巻島はまずそのことから切り出した。

「誰にですか?」本田は事情が呑み込めない顔で巻島を見た。

「課長だ」

「課長? 若宮課長ですか?」

「植草課長だ」

「ああ、植草課長……確かに幹部会議にはよく出てきてますね」本田は半分だけ納得したように小さく唸った。「でも、あの課長が捜査官の足を引っ張る理由なんてあるんですかねえ。捜査官とも特に対立してるわけじゃないんでしょ?」

「ああ。だが、この捜査を把握してる一人だ。例外は作らないほうがいいと思ってな」

「上司も部下も関係ないってことですね。私にも仕掛けますか？」

「誰も引っかからなければ、そのうちにな」

巻島が言うと、本田は首をすくめておどけた顔をしてみせた。

「で、何だ？　新しい手紙が来たか？」

「〔バッドマン〕ですか？　いや、今日はまだみたいですね」

今日あたり次の手紙が届くのではと思っていただけに、巻島は少なからず落胆した。もちろん、まだまだ未整理のものも残ってはいるだろうが、その中にもなければ漫然と待っているわけにもいかなくなる。一計を案じてでも、〔バッドマン〕の気持ちが冷める前に、次の誘いをかけておく必要がある。

「でも、こっちのほうで新しいのが来ましたよ」

そう言う本田の顔からはすっかり柔らかさが消え、何やら胸騒ぎを覚えさせるような暗い色がそれに取って代わっていた。

巻島は彼が差し出してきた一枚の紙を受け取った。

その文面を見て、目を疑った。
〔ワシ〕!?

笑止千万。

ドブネズミはワシが救いのない人生を送っていると云う。

真に救いなきはドブネズミなり。

いずれ厚顔無恥の報いを受けるときが来よう。

ワシはただそのときを楽しみに待つとする。


巻島はしばらく、その文面から視線を外すことができなかった。

それからようやく顔を上げ、本田とお互いを見合わせた。

「これの消印は?」

本田にも有賀が自殺した件は伝えてある。

「昨日の午後です」本田は強張った声で答える。

「昨日……」

有賀にこれを出すことはできない。
〔ワシ〕はまだ生きている?
有賀が〔ワシ〕ではなかったのか?

それともこれは〔ワシ〕を騙っているだけなのか？

答えは見えず、巻島は自分に首を振る。

「先日のやつとあわせて、村瀬に教えてやってくれ」

とりあえず、それだけを口にした。

重苦しい影に囲まれたようで、気持ちが妙に落ち着かなかった。

＊

〈今日の到着分にはありませんでした〉

電話を通して巻島の報告を聞き、植草は失望のため息を呑み込んだ。

「じゃあ、〔ナイトアイズ〕の出演はなしですね？」

未央子と話すときの癖が出て、〔ニュースナイトアイズ〕を業界的に略してしまったことに気づいたが、どうでもいいことだと思い、取り繕う気にもならなかった。

〈いえ、誘いをかけるためにも出演しようと思ってます。児玉さんにも連絡してあります〉

巻島はそんなふうにさらりと言った。

「誘い……というと？」

〈まあ、適当に〉

「……？」

思わせ振りな言い方が気になったが、待っていてもそれ以上の説明は出てこなかった。

「例の映像ですか？」それとなく訊いてみる。

〈いえ……確かに人物が特定できていないという前提であれを出せば、〔バッドマン〕から認否のリアクションを引き出せるかもしれません。ただ、あれは私としても大事に進めたい線ですから、そう簡単に出すつもりもありません〉

巻島の口調は落ち着いたものだった。

「そうですか……しかし、あまり〔バッドマン〕をおだてるだけでも芸はありませんよ」

少し挑発して、また反応を見る。

〈そうですね〉

巻島はあっさりとかわして、素っ気なく話を終わらせた。

受話器を置いてから植草は時計を見た。夕方の六時を過ぎていた。連絡を催促する未央子のメールが植草の携帯電話に入ったのは一時間前だ。今頃は痺れを切らしているだろう。

植草は机の引き出しから煙草を取り、一服する仕草をしながら課を出た。

昨日〔バッドマン〕からの手紙がなかっただけに、今日こそは届くだろうとの確信に近い

期待があった。おそらく捜査関係者だけではなく、報道関係者も、そしてこの事件に注目している一般人もそう思っているだろう。〔バッドマン〕に突然の心変わりがあったとも思えない。巻島の捏造疑惑にも興醒めしたかのような反応は示さなかった。あれから巻島は〔バッドマン〕の心情を理解するような発言を恥ずかしげもなく連発している。

手紙を出すことがはばかられるような事情が〔バッドマン〕の周辺に起きているのだろうか？　しかし、理由はどうあれ、事実としてあるのは、〔バッドマン〕からの手紙は来なかったということだ。

それだけを取れば、何とも緊張感を損ねる話である。もちろん、ニュースにはならない。未央子に情報を与えることが習慣化してくると、こんな日が少し続いただけで、やけに据わりが悪い気分になる。未央子はスクープという美味なる餌を覚えてしまっている。それさえ持っていれば、植草は彼女を飼い馴らす自信がある。逆に言うと、それがなければとたんに、手が寂しい不安に襲われる。

いや、実際には、自分はとっておきの餌を持っているのだ。捜査本部の中枢がこれこそ〔バッドマン〕ではないかと睨んでいる男の映像。

植草が見てみたところ、画像の質が悪く、しかも男は終始後ろ姿であって、それをもとに

個人を割り出すのは難しいような代物だった。

しかし捜査班は、そこから背格好や服装の特徴など必要な情報を抽出し、また居住圏の割り出しや店員の証言なども含めてであろう、一人の重要参考人を浮かび上がらせた。

野々上充なるこの男は、現在、所在が摑めていないのだという。無職の身であれば数日部屋を空けたところで不思議はないか。だが、もしかしたらアパートに監視がついたのを敏感に察知し、逃亡に入ってしまったのかもしれない。だから〔バッドマン〕からの手紙も途切れた……そんな説明がつく。巻島が野々上の線に自信を持ちながら、なお〔バッドマン〕からの次の手紙にこだわるのは、消印から野々上の現在の居場所を測ろうという狙いか。あるいは手紙にこだわって、まだ捜査が進んでいないことをそれとなく見せ続けることによって、野々上を油断させておくのが狙いなのか。

今日、巻島は〔ニュースナイトアイズ〕で何を話すつもりなのだろうか？　まったく見当がつかないだけに、やけに気になる。

しかしどちらにしろ、こうなってしまえば、〔バッドマン〕の手紙は捜査の上での重要度を落としてしまっていることになりはしないか。野々上の所在が明らかになるまでの時間稼ぎであり、公開捜査の間を持たせるためだけの価値しかないと言ってもいい。

重要度のウエイトは、もはや防犯カメラの映像に移っている。いずれ巻島は〔ニュースナ

イトアイズ〕であの映像を流すはずだ。それに対して、野々上＝〔バッドマン〕が手紙で何らかのリアクションを寄越す可能性もあれば、映像を突きつけられることによってそれ以上逃げ隠れすることを観念する可能性もある。巻島はそれを劇的にやってみせる時機を見計らっているのだ。それも公開捜査のうちだと彼は考えている。

そのタイミングが明日なのか明後日なのか明々後日なのかは、植草には分からない。ただ、巻島に任せておけば、手紙の公表と同じように、〔ニュースライブ〕が〔ニュースナイトアイズ〕の後追いになることだけは間違いない。

今日でないことは確かなようだ。

しかし、明日になれば分からない。

このテープは幹部会議の出席者なら持っているという。十二人か、十三人か……その中でお世辞にも巻島に忠誠を誓っているとは言いがたい連中は、少なく見積もっても八、九人はいる。いずれも一癖ある者ばかりだから、テープが流出したからといって、巻島もいちいち誰がやったかなどとねちねちした追及はできないだろう……。

未央子は餌を欲している。

自分はそれを持っている。

あの聡明で気まぐれな女がそれだけで飼い馴らされるのだ。自在に懐から餌を出す植草に

心酔の眼差しを向けるのだ。あの愉悦感は本当にたまらないと思う。

賞味期限を考えれば、あまり出し惜しみはできない。

早いほうがいい。

＊

その夜、〈ニュースナイトアイズ〉に出演した巻島は、今日現在〈バッドマン〉からの新たな手紙が届いていないことに関連して、打ち合わせの場でも話さなかった一つの見解を披露した。

「私はここに来て、必ずしも〈バッドマン〉は一人とは限らないのではないかという気がしています」

韮沢が自然な反応とも思える訝しげな眼つきをして、巻島を凝視した。

「というと、同一人物ではないと？」

「いえ、同一犯は同一犯なのですが、つまり単独犯ではなく、複数犯である可能性も十分に考えられるということです」

韮沢は一つ息を呑んで、今度は少々演出気味の唸り声を上げた。

「その複数犯説は、捜査本部ではずっと残っていた意見だったんですか？」

「いえ、当初はどうか知りませんが、今は捜査本部も単独犯であるとの前提で動いています。複数犯説を示す物証や目撃情報が上がっていないからです。ただ、だからといって、これは複数犯説を否定する根拠にはならないわけです。性的いたずらを伴った犯行なら単独犯の色が濃くなりますけど、この事件はその範疇には入っていません。何らかの日常的な不満が動機になった、ゲーム的な快楽殺人の態をなしています。そうであれば、複数犯であってもおかしくはない。捜査が長引いて単独犯説が当たり前になった今では、ちょっとした盲点になっていたとも言えるでしょう」

「その可能性が捨て切れなくなったとする根拠はどのあたりにあるんですか？」

「〔バッドマン〕から最初の手紙が届いた前の週に、一時的に我々が〔バッドマン〕ではないかと判断した手紙が送られてきました。これは本当のところ、いったい誰の手によるものだったのかという疑問が残っているわけです」

「あの、一部では巻島さんが捏造したんじゃないかっていう声も出てた……？」

早津が遠慮なく口にしてきたので、巻島は苦笑して頷いた。

「それで、もし、〔バッドマン〕に共犯者がいたとするなら、こういうことが考えられるんじゃないかと思うんです。つまり、子分格の共犯者が最初、この放送に反応して面白半分に

手紙を送った。それが予想以上に世間の反響を呼んで注目を集めたことによって、本物である主犯が黙っていられなくなったと……」

「そうすると、今回〔バッドマン〕からの手紙が遅れているのも、そういった事情に何か関係があるのではないかとの考え方ですか？」続けて早津が訊く。

「例えば仲間割れ等の理由がそこにある可能性は考えられると思います」

巻島がそんな返事をすると、思案顔になっていた韮沢が冗談を言うように杉山を見た。

「こんな疑問も〔バッドマン〕に答えてもらうのが、一番手っ取り早いんですけどね」

出演を済ませた巻島は、周囲への挨拶もそこそこに報道局フロアへ出て、〔ニュースライブ〕のモニターに注目した。

始まったばかりの〔ニュースライブ〕では、ちょうど詐欺事件のトップニュースが終わったところのようだった。川崎事件を扱うにしても〔ニュースナイトアイズ〕の様子を見てからだろうと踏んでいたので、その意味では巻島の予想通りだった。

〈CMのあとは川崎男児連続殺害事件に重要情報です〉

杉村未央子が早口で予告をし、CMに切り替わった。

巻島は一つ吐息をつき、腕を組んでCMが明けるのを待った。

いくつかのCMのあと、背筋を伸ばした井筒孝典と杉村未央子の姿が映し出された。

〈川崎男児連続殺害事件の新情報です。〔ニュースライブ〕特別取材班が、事件の鍵を握ると見られる重要な映像を独自に入手しました〉

普段から発声のいい井筒の声が、一段と歯切れよく聞こえた。画面が切り替わり、巻島も目を通した防犯カメラの映像が流れ始めた。モノクロで画質は悪い。中肉中背の男が淡々とおもちゃ売り場のレジで支払いを済ませている姿が映っている。

〈この映像は昨年の七月頃、神奈川県内のあるスーパーの防犯カメラがおもちゃ売り場のレジを捉えたものです。ここに映っている買い物客が購入したおもちゃと同じ種類のものが第四の事件現場に残されていたという情報が、関係者筋から伝わってきています〉

〈本日も元大阪府警捜査一課長、迫田和範さんをお呼びしました〉井筒が紹介し、早速質問を投げかける。〈このおもちゃに関する情報は、今まで捜査本部からははっきりと公表されていなかったものですね？〉

迫田が訳知り顔に頷いた。

〈うん、まあ、そうですな。このおもちゃは〔バッドマン〕が被害者の子供に接近するために用いたものだと言われとります。捜査本部では一時、犯人がおもちゃなどで子供を誘った可能性があると言及したことがありましたが、それ以上の詳細な情報は伏せられた格好とな

っておりました。裏を返せば、警察がそれだけこの物証を重視しておったことの表れでもあって、洩れ伝わってくる話によると、購入ルートの洗い出しには以前からかなり力を入れておったようですよ〉

迫田のコメントの間にも、何度も何度も防犯カメラの映像が流された。

〈捜査本部のある宮前署には山川記者がいます。山川さん?〉

井筒が呼びかけると、白タイルの警察署の前に立っている記者が返事をした。

〈はい、こちら川崎事件の捜査本部前です。問題の映像について捜査本部からの公式のコメントはまだ出ていません。一部関係者の話によりますと、捜査本部ではこの人物に注目し、画像を詳しく検証して、身元の特定を急いでいる段階であるようですが、その作業にはまだしばらく時間が必要だということです。今のところは、人物の年齢層や居住地等の情報も入ってきておりません。ただ、捜査にも次第に緊迫の度合いが高まっている雰囲気が感じられます。こちらからは以上です〉

すべてが嘘でしかないと分かっているニュースが少なからぬ興奮を伴って扱われているのを見るのは、何とも奇妙な気分だった。トラップを仕掛けるにあたっては、公表されていない捜査資料をすっぱ抜く度胸が〔ニュースライブ〕にあるかどうかまで読めていたわけではなかったが、やはり、この事件の報道環境は彼らの日常からも外れているのだろう……なり

ふり構わず、我を失っているようにも見える。巻島はいくぶん醒めた気持ちになって、それを見届けた。巻島の複数犯説については急なことで消化し切れなかったらしく、触れられることはなかった。

局を出て車に乗り込んだところで巻島は携帯電話を取り、本田につなげた。

〈かかりましたね〉本田の声は上ずっていた。

「で、誰だった？」巻島はむしろ落ち着き加減に訊いた。

〈植草課長です。今朝の一本です〉

巻島は青年課長の顔を思い浮かべて、静かに嘆息した。確信は持てなかったが、昨日、誰も引っかからなかった時点で、もしかしたらという思いは少なからずあった。あるいは、一課の叩き上げたちが本当のリーク元だったなら、トラップの気配を敏感に嗅ぎ取って、引っかからなかったのかもしれない。リークの狙いは分からないが、植草の若さが皮肉な結果を残したという気がした。

「そうか……分かった。あとのことは明日にしよう。息子さんにも礼を言っといてくれ」

電話を切ると、車を発進させる間もなく植草からの着信があった。

〈ええと、いくつか訊きたいことがあるんですが……〉硬い声が耳に届いた。〈今、〔ニュースライブ〕見ましたか？〉

「ええ」

〈独占入手とはどういうことですか？　昼の話の通り、発表してはいないわけですよね？〉

「もちろんです。どうやら誰かが流したようですね」

植草は呆れたような唸り声を発した。〈誰だ……？〉と独り言を挿んで続ける。〈で、どうするつもりですか？　今、本部長から電話がありましたよ。ほかのマスコミへの対応も考えないと〉

「まだ何かを発表する段階ではありませんから、マスコミには否定も肯定もしません。それで彼らが勝手に重要な局面に来ていることを察知してくれたら、それでいいんじゃないかと思います」

〈ふむ……〉

今一つ割り切れないと言いたげな声を洩らす植草には構わず、巻島は訊く。

「本部長には、何と？」

〈報告としては受けてるけれど、その人物の所在は摑めてないようだと言ってあります〉

「分かりました。では、あとは明日、私の口から本部長に報告することにします。野々上の所在確認の有無にかかわらず、現時点ではまだ有力な線の一つに過ぎないことを申し上げておきます」

〈あくまで慎重ですね〉

「早く本部長を喜ばせたいところですが、これほどのヤマですし、慎重には慎重を期したいと思います」

〈そうですか〉

植草はそれでとりあえずは納得したのか、話を変えてきた。

〈それから、さっきの犯人が二人という話、初耳ですけど、あれは本気で言ってるんですか？〉

「そういう考えも成り立つという話ですから、別に嘘は言ってません」

〈嘘は言ってない……？〉

「あくまで可能性の話ですから」

〈ふむ……なるほど〉

多くを語らない巻島の真意を彼なりに読み取ったらしく、植草はそんなふうに相槌を打った。

〈まあ、何にしろ、いい方向に行けばいいですね〉

そう結んだ植草に巻島は淡々と応じ、静かに電話を切った。

＊

翌日、植草は県警本部で巻島を待ち受け、曾根本部長への報告に立ち会った。

「誰が〔ニュースライブ〕に流したのか分かりませんが、あれは帳場で洗っている情報の一つに過ぎません。シロクロはっきりしていない情報はほかにも並行して確認に走っておりまして、あれを格別重要度の高いものだと捉えているわけではないのです」

巻島は昨晩植草に話していたニュアンスよりも強く、野々上の線についての重要性を否定した。ともすれば、〔ニュースライブ〕の報道はまったくの先走りであって、末端の質の悪い情報を勝手に取り上げているだけのことだと言っているようにも聞こえるものだった。

「そんな話か」

報告を聞き終えた本部長は、失望を仏頂面で表した。もしかしたら巻島が〔ニュースライブ〕の報道のさらに先を行くような話を持ってくるかもしれないと期待していたようにも見えた。

「で、あの複数犯説は何だ？　保身にでも走ったか？」

つまり、巻島が自身の捏造疑惑をかき消すために新たな説を持ち出してきたのではないか

ということだ。

半分くらいは巻島の中にもそんな狙いがあったはずだ……植草はそう思っている。ただこは、「可能性に触れてみただけです」という巻島の無愛想な返答に代わって、植草が答えておいた。

「〔バッドマン〕からの新たな反応を引き出すために言及したものと理解しています」

「だろうな」

本部長はそう呟き、視線をドアのほうに投げかけて二人の退室を促した。

本部長室を出たところで、植草は巻島に声をかけた。

「あそこまでトーンダウンさせなくてもよかったんじゃないですか？　もうちょっと本部長に期待を持たせる感じでも」

「これ以上、本部長に急き立てられても困りますから」巻島は横顔で答えた。

「進展のないほうが本部長の焦りも強いと思いますけどね」

植草はそう返してみたが、巻島からの反応はなかった。

そのまま植草は、宮前署に移動する巻島の車に同乗した。道中、巻島はいつにも増して寡黙だった。捜査が大詰めを迎えていることにより、神経がそれだけ張り詰めているように、植草には感じ取れた。野々上の線の詳細について訊き出したい思いもあったが、自分こそが

〔ニュースライブ〕へのリーク元であるという意識が邪魔をして、必要以上に首を突っ込むことは巻島を不審がらせるようにも思え、何となくためらわれた。

宮前署に到着すると、巻島の車を憶えてしまっている記者らに早速取り囲まれた。

「捜査官、昨日の〔ニュースライブ〕に出た映像ですけど、あれはどういうことですか？」

「逮捕は近いんですか、捜査官？」

前夜の〔ニュースライブ〕の反響は想像以上のものだった。巻島自身が放った新説など吹き飛んでしまっている。

「どうしてこんなに情報提供の偏向があるんですか？　説明してくださいよ！」

「ちょっと待ってください、捜査官！」

他社の独占スクープから一夜明けても裏が取れないのだから仕方ないのだろうが、報道陣は異様に殺気立っていた。植草は思わず巻島から離れて輪の外に逃げた。

彼らを黙殺して署の中へ向かおうとしていた巻島も、さすがにそれでは通らないと思ったのか、不意に立ち止まって視線を巡らせた。

「今の時点で公式に発表できることは何もありません」

〔ニュースライブ〕のスクープを否定するものではないその台詞は、植草の予想通りのものだった。

「じゃあ、いつ発表できるんですか⁉」

「はっきりさせてくださいよ！」

「防犯カメラの映像が最有力情報であることは間違いないんですね⁉」

「事情聴取はもう始まってるんですか⁉」

「複数犯説はダミーなんでしょう⁉」

質問の矢を浴びて、巻島はまた立ち止まった。

「過熱するのはそちらの勝手ですが、人が出ている映像を扱う以上、慎重になったほうがいいですよ。たとえ個人が特定できるようなものではないとしてもね」

巻島は謎めいた忠告を発して報道陣を煙に巻くと、あとは立ち止まらずに建物の中へ入っていった。

「何のサービスもなしですか？　これで〔ニュースナイトアイズ〕に出たとたん肯定したら、洒落では済みませんよ」

巻島を追い、その背中にかけた植草の言葉は、勢い責めの色が混じったものとなった。

巻島はちらりと植草を見た。

「捜査の利益にならないことは、どこに出ようとやりませんよ」

一瞬、植草のリークを見透かした皮肉の気がして息を呑みかけたが、まさかそんなことは

ないだろうと思い直した。この大事な局面を迎えて、もともと癖のある人間がますますその偏屈ぶりを際立たせているだけだ。

事実、捜査幹部らを招集して始められた会議の中でも、巻島は唐突な方針を打ち出すという行動に出た。

「残念ながら、捜査への影響を考えないまま、勝手に重要情報を特定のマスコミに流している誰かがここに参席しているようです」

巻島は冷ややかに言い、捜査幹部に視線を巡らせた。

「それが誰であるのかという問題を、ここであえて取り上げようとは思いません。ただ、そういった軽率な行動が決してこの捜査にいい影響を与えないことは明らかです。したがって、いろいろ反論はあろうかと思いますが、野々上の線についてはしばらく本田君と私の間でのみ、報告と指揮のやり取りをすることにとどめたいと思います。何らかの動きがあったとしても、この場で逐一詳細を報告することは控えることにします」

しかし、その一方的な話に、はいそうですかと従う面々ではなかった。どよめきにも似た低い声が上がり、お互いを見合わせるような顔の動きがあちこちで起こった。

「ちょっとそれ、いくら何でも馬鹿にした話じゃないですか?」一課の実力者、藤吉が呆れたように口元を歪ませた。「しばらくっていつですよ?　逮捕状取るまで?」

「そこまでとは思ってません。任同をかけることになったら報告すると思います」

「大して変わらねえじゃんよ」一課の中畑が独り言にかこつけて、口荒く言い放った。「じゃあ、俺らその間、何やってりゃいいんだろ？」

「まだ野々上の線一本に絞り込む時期ではありませんから、それぞれの受け持ちの線をそのまま進めてください」

巻島の無表情ぶりが気に障ったのか、中畑は大きな吐息をわざとらしくついた。

「もう俺たち、いらないんじゃないのかな。あとは刑事特捜だけでやればいいんじゃないの」

「それは職場放棄の意思ですか？」

収拾をつけるつもりで植草が口を挿んだ。この場の上司なりの威厳を中畑への視線に込めてやった。一応の迫力があったのか、それとも意外性があったのか、中畑は戸惑い気味に植草を見返して口をつぐんだ。

「でも、こうやって改めて考えると、どうにも釈然としませんな」藤吉が口元の片方を吊り上げて言う。「初めから我々には粗悪な物件ばかりを回しておいて、優良物件は本田君のところに囲わせた……ってことを勘繰りたくもなりますが」

「まさか」巻島は小さく首を振る。「そんなこと、やろうとしてできるもんじゃない。むし

ろ捜一にはAランクの重要情報を優先的に割り当ててきたはずです」

巻島が淡々と応じたので、藤吉もそれ以上の不満はため息に代えざるを得ないようだった。

「じゃあ、これで終わります」

巻島が何事もなかったかのように言い、気まずい空気を霧散させた。


その日の夕方、巻島から植草のもとに電話があり、やはり今日の郵便物からも〔バッドマン〕の手紙は発見されなかったとの連絡を受けた。〔ニュースナイトアイズ〕からは〔ニュースライブ〕のスクープ映像の関係で出演してもらえないかとの打診があったらしいが、それもやんわりと拒否したとのことだった。

植草は席を外して未央子に連絡を取り、新しい手紙が届かなかったことと、巻島が幹部に向けて鉄のカーテンを引いたことなどを伝えた。

「まあ、今日はそんなところだ。大した話ができなくて悪いね」

〈ううん、そっちの動きが分かるだけで十分参考になるわ〉言葉通り、彼女の口調に失望感は窺えなかった。〈で、昨日の巻島さんの複数犯説だけど、あれはどういうことなの?〉

「大した話じゃないよ。ああやってまたバッドマンに誘いをかけてるんだ」

〈そうなの?〉未央子が釈然としないように言う。〈防犯カメラの男の特定はかなりのとこ

まで行ってるんでしょ？　今さらそんなことする必要があるの？〉

「まあ、二重三重に網をかけるってことだろうね。あの映像はまだ発表するつもりがなかったんだから、表向きにはそれほど捜査が進んでないっていうポーズを見せて、犯人を油断させたかったのかもしれない」

〈それと、視聴者の注目を一時的に惹きつけておく意味もあったんじゃないかな？〉未央子が半ば決めつけるように言った。〈捏造の話をごまかすためにさ〉

「なくはないかもね」

植草はやや曖昧に返した。手紙の掌紋が巻島のものと一致しなかったという事実がそうさせていた。

未央子は植草の微妙な語調には反応せず、勝手に話を進めていく。

〈まったくあの人、澄ました顔して白々しいことしてくるわね。また迫田さんに突っ込んでもらおうかしら〉

「まあ、そのへんは適当にやってくれ」

わざわざ水を差すようなことも言えず、植草は苦笑混じりに受け流して未央子との電話を終わらせた。

デスクに戻りかけたが、今の話の延長で舟橋のことが気になり始め、彼の携帯電話にコー

ル一回分の着信を入れてみた。

しばらくして、植草の携帯電話が震えた。

「手間取ってるのか?」

前置きは省き、本田らの掌紋採取がどこまで進んでいるのかを訊いた。

〈いえ、何とか手に入れたんで、今日は仮病を使って自分の家でずっとやってました。ちょうどこちらから電話しようと思ってたところで……〉

「そうか。で、どうだった?」

〈それが、三人ともまるで一致しません〉

「………」

植草ははっきりとした失望を感じて顔をしかめた。

「本当か? 何度も比べてみたか?」

〈散々やりましたけど駄目です。どこをどう合わせても満足する特徴点の一致にはほど遠いんです〉

「じゃあ、どういうことだ?」

舟橋が答えられないのも構わず、植草は独り言を電話にぶつけた。

「ほかにV類班で、捏造の実行役になるような人間はいないのか?」

〈いやあ……〉舟橋は困惑したような声を出した。〈昨日、昼休みのとき、歳の近い連中に『偽の〔バッドマン〕は誰の仕業だと思うか？』って水を向けてみたんですが、彼らも苦笑混じりに声をひそめて、『何だかんだ言って、やっぱり巻島さんじゃないか』ってなことを言ってましたから……あの様子からすると、ほかにいるとは思えないですね〉

「……………」

植草はねぎらいの言葉もかけないまま、舟橋との電話を切った。

巻島ではない。彼の腹心でもない。

あの捏造で本物の〔バッドマン〕をおびき出し、捜査を前進させたのは間違いのない事実だ。巻島かその腹心でなければ、誰がやるというのか？

本当に〔バッドマン〕は二人いるとでもいうのか。

どうやら自分が読み間違えたことは明らからしい。植草はそう気づいたが、不愉快さこそ残るものの、訂正事実として未央子に伝えようという気にはならなかった。

今さら訂正はできないし、する必要もない。少なくともあの時点では筋の通った読みだったのだ。今でも捜査員の間では本気でそう疑っている者もいる。公開捜査を仕掛けた以上、一億の国民が捜査員になることは巻島も分かっているはずだ。その中で自分についての虚実が飛び交ったところで、巻島はそれに対してどうこう言える立場ではない。

植草は自分の読み間違いを強引に肯定した。

とりあえずはそうするしかなかった。

＊

「〔バッドマン〕に告ぐ。次の手紙を私のところに送ってほしい。もっと君の話が聞きたい。心待ちにしている」

前回の手紙が届いてから一週間が経過した晩、巻島は〔ニュースナイトアイズ〕に出演した。

この日も〔バッドマン〕からの新しい手紙は届かなかった。夕方、それがはっきりした旨の本田からの報告を受け、巻島は内心で落胆を嚙み締めた。それと前後して児玉から番組出演の打診があったので、巻島は承諾の連絡を返したのだった。

児玉は〔ニュースライブ〕などから乱れ飛ぶ揣摩《しま》臆測についてのコメントを巻島に求めたかったのだろうが、巻島としてはただ、〔バッドマン〕に手紙の催促をする機会が欲しかった。最初の手紙以降、これまでは巻島のメッセージに即答するように届いていただけに、不意に何かが切れたようなこの間は何とも嫌なものだった。

闇に帰ってしまったか。

まだそう決めつけるには早過ぎるが、楽観できる材料は何もない。

このまま〔バッドマン〕からの手紙が途絶えてしまえば、捜査の見通しは非常に厳しいものになる。〝何か〟を期待して、手紙のやり取りを続けているのだ。何回ものやり取りを重ねれば、必ず何らかのボロが出る。衆人環視の空間を通すからだ。よそ行きの自分を見せようと思った瞬間に平常心はどこかに消えている。取り繕おうとすればするほど、かける手が多くなり、考えられないような失敗が生まれる。かわそうとした手がいつの間にか自分の足をからめとっている。

六年前の記者会見は言うまでもなく、今度の公開捜査でも、巻島は何度となく人の海にその身一つで飛び込むことの怖さを実感している。〔バッドマン〕の場合は手紙だけの露出とはいえ、そこにも魔物は必ず潜んでいるはずだ。

だが、ここであっさりと彼が引っ込んでしまうのなら、そんな期待も空しくなってしまう。これまでに彼が出したボロとは何か？　臙脂をベージュと言い間違えたことくらいか。それでこちらはどうする？　現場地域周辺の何十万戸をしらみ潰しに回って臙脂の服を指差し、「これは何色ですか？」と訊くのか？　さすがにあり得ない。

曾根に指摘されるまでもなく、残された時間が少なくなっているのは確かなことだ。誰が

決めるわけでもないことだが、世の中の空気がそれを教えてくれている。

「今になってこういうことを訊くのも何ですが……」韮沢がテーブルに片肘をつき、ことさら醒めた眼つきを巻島に向けた。「巻島さんがそれほど〔バッドマン〕からの手紙にこだわる訳とは何なんですか？」

嫌味たっぷりの言い方に、巻島は巻島で肩でもすくめてみせたかったが、カメラの前ではそういうわけにもいかなかった。

「おそらく私だけでなく、この事件に関心を持っていらっしゃる方なら誰でも〔バッドマン〕の生の声を聞きたがっていると思います。ただ、私の個人的な思いを言うなら、こうやってひたすら事件を追いかけてきて、ふと気づくと、ただの犯罪者に対する感情ではない、立場を超えた特別なつながりを彼に対して感じています。たぶん私以外の誰にも理解してはもらえないかもしれませんが、それが動機の一つになっていると言ってもいいと思います」

これもネガティブな波紋を呼ぶだろうなと思いながら、巻島は表情を変えずに語った。

韮沢が片方の眉を下げる。

「何らかの形で解決に結びつくのを期待してのことではないんですか？」

「もちろん我々は捜査が本分ですので、いろんな手を尽くしています。しかし、それとこれがどのような形で結びつくのか、あるいは結びつかないのかは何とも言えないことです」

「例えば、自首を呼びかけるようなことは考えていらっしゃらない？」早津が、彼女にしては硬い眼差しで訊いてきた。

「先のことは分かりませんが、今の時点では考えていません。裁かれれば重い刑が下ることは〔バッドマン〕自身も分かっているでしょう。その現実を乗り越えて私の呼びかけが彼の耳に届くには、もっと彼との信頼関係を築く必要があると思っています」

「信頼関係ですか……」早津が憮然として呟き、軽く首を捻った。

韮沢が不意に表情を緩め、早津や杉山のほうへ苦笑を向けた。

「巻島さんには何度も番組にお越し頂いているんですが、回を重ねるたびに本音が分からなくなってくるようにも感じられるんですけどねえ」

杉山が同じく苦笑して頷く。「まあ、それだけ捜査が大詰めを迎えて、言えることより言えないことのほうが多くなってきた証拠なのかなという気もするんですが……」

問いかけるような視線を受けたものの、巻島は気づかないふりをしてやり過ごした。

「捜査がどの局面を迎えているかということについて、各マスコミでいろんな情報が取り沙汰されていることはご存じですか？」韮沢が巻島に訊く。

「全部とは言いませんが、耳に入ってくる話もあります」

「一部マスコミで防犯カメラの映像が取り上げられて、捜査本部がその人物に対してかなり

注目しているとのニュースが出ましたけれど、これは実際のところどうなんですか？」

「確かにあれはこの捜査に関する資料の一つではあるんですが、今現在、コメントできることは何もありません」

「その人物の所在は分かっているんですか？」

「個々の重要情報について、捜査がどの段階であるかは非常に微妙な問題ですので、この場でお答えすることはできません。今までも事件に無関係であると判明した情報を中心にご報告してきましたが、この件につきましてもそういった段階にならないと、なかなかお伝えするのは難しいと思います」

「あの映像に関する情報提供を視聴者の皆さんに呼びかけるお考えもないわけですね？」

「ありません。まだその人物が事件に関係していると決まったわけでもありませんので、映像の人物が誰であるかとか、その店舗がどこのものかとかいった詮索はむしろ慎んで頂きたいと思っています。これはマスコミ関係者の方々も同様です」

韮沢は小さな区切りをつけるように唸って相槌を打ち、それから次の質問に移った。

「あと、〔バッドマン〕は二人いるのではないか……つまり、捜査本部が最初に本物だと判定した手紙も共犯者が書いたものではないかという見方を巻島さん自身がされていらっしゃいますが、これは例のご自身による捏造疑惑を拭いたいがためのものではないのかと取る向

きもあるようですね？」

遠慮のない問いに、巻島は無表情を決め込んだ。

「それはまったく関係ありません」

どんな表情で言ったとしても、視聴者の目には怪しく映ることだろうと分かっていた。

韮沢のシニカルで醒めた態度が象徴するように、公開捜査のホームグラウンドとしてきたこの番組でも、巻島の扱われ方は問題人物へのそれへと変わってきていた。協力的な関係での番組出演は明らかに行き詰まりを見せている。

成果は上がっていない。

しかし、公開捜査は終焉の様相を呈し始めてきた。

8

〔ニュースナイトアイズ〕に出演して〔バッドマン〕へ文字通りのラブコールを送った結果、返ってきたのは、犯罪者におもねる捜査責任者への各方面からの非難の声ばかりであった。

そして次の週が明けて、巻島は植草とともに、曾根に呼び出された。

「どうやら失敗に終わったな」

巻島を睨め上げた曾根の口から出てきた言葉には、いつもの威圧的な勢いもなく、諦念の色が濃く浮いていた。

それでも巻島の顔を窺うような視線を投げ続けてくるあたりに、曾根のあきらめ切れない気持ちも見て取れた。

「まだ結論を出すには早いと思います」巻島は静かに反論した。

「せいぜい散り際は潔くすることだな。後任を決めたら呼ぶ。お前の次のポストは考えてない。分かるな？」

何も応えない巻島に、曾根は人差し指を向けた。

「俺はお前にチャンスをやったんだ」

強引に道理をつけるように言い、苦々しそうに鼻から息を抜いた。そして、最後通牒の駄目押しか、それともこれこそが最後のチャンスということなのか、曾根は一言だけ言葉を足した。

「あと一週間だ」


「野々上の件はどうなってるんですか？」

本部長室を出たところで、植草が小声で問いかけてきた。

「変わりません。居所を追ってます」

「どうしてそんなにもたついてるんですか？」

「担当捜査員を絞ってやってますから、どうしても時間はかかってしまいますよ」

「ここはもう全力で行くべきでしょう。時間がないんですから」

「時間がないのは我々の問題であって、野々上には関係ないことです。あくまで慎重を期するつもりです」

捜査指揮が誰かに取って代われば、野々上のこともまるっきりの粉飾報告だと露呈する。

そう分かっていながらも、巻島はそれまでに収拾をつけておかねばならないという気にはならなかった。言ってみれば、指揮を外されてからのことはどうでもよかった。

「でも、可能性だけでも本部長にほのめかしておいたらどうですか？　それだけでも話が全然違ってくると思いますよ」野々上の線を信じ込んでいる植草が食い下がる。

「いずれにしろ、私は結果で示さなければなりませんから」

植草はかぶりを振って、巻島の前に出た。

「これは僕の責任問題でもありますから、遠慮なくハッパをかけさせてもらいますよ」

巻島は一つ息をついて返す。「課長の責任は問われませんよ……離れて見ている分には」

植草は軽く顎を引き、巻島を斜めに見た。

「巻島さん、もう格好をつけてる場合じゃありませんよ。あなた一人で……」

「これは私のヤマです」巻島は植草の言葉にかぶせた。「少なくとも今はまだ……だから、私の判断でやらせてもらいます」

巻島がそう言うと、植草は口元をぎゅっと締めて巻島の前から身体をどけた。

「じゃあ、僕は吉報を待つことにします」

植草は感情を殺した声で言った。

捜査本部の専用別室に入った巻島を訪ねてきた本田は、今日もまた手ぶらだった。

「開店休業ですな」

そう言って巻島の机の前にあるパイプ椅子に腰かける。

「そう言えば、トラップがそのままになってますけど、あれはどうしましょうか？　一課の連中も、野々上はまだ見つからないのかって痺れを切らしてますよ」

植草にはそのうち、遊びの代償を払ってもらわなければならないだろうが、今はその時期ではない。

「もう少しそのままにしといてくれ。手紙が途絶えた状態でそっちだけ進めてもしょうがない」

本田は何もない壁を見ながら緩慢に頷いた。

「するとまあ、これは一種の休戦状態ということになるんですかね。睨み合いというか三すくみというか……」

「問題は〔バッドマン〕がどうして手紙を出すのをやめたかだ」

「ええ……あれ以来、外は全班同じ人間のマークを続けてますけど、どこも対象が尾行を気にするような素振りはないらしいんですよ。だから、マークされてる人間が警戒して、というのでもなさそうですし、そうすると、課長の余計な火遊びがいたずらにいろんなメディア

を煽って、結局は〔バッドマン〕もそれに嫌気が差したんじゃないかって気もするんですがね」

そういえば、課長は〔ニュースライブ〕の杉村未央子と大学の同級生だったらしいですよ……と続いた本田の言葉は聞き流して、巻島は首を捻った。

「どうもピンとこないんだ。マスコミがあれこれ騒ぎ立ててることが、それほど〔バッドマン〕本人にプレッシャーを与えてるとは思えない。最後の手紙の文面にもそんな気配は見えないし、どうにも唐突の感が強い」

「ですよね」

本田は首の後ろをぴしゃんと叩いて、苦い顔をする。

「〔バッドマン〕個人の問題ですかね。どこか旅行に出かけてるとか……」

まだ十日であり、もう十日であった。一日が経過するたびに〔バッドマン〕がそれだけ闇の奥へ消えていく。一日千秋の思いで待っていると、希望が容赦なく削ぎ落とされていく。今や、改めて手紙が届くという楽観的な望みは持てなくなってしまっている。

「せめて捜査可能な範囲で居住圏が絞れればいいんだがな」巻島はそんなことを呟いてみる。

以前、V類班の西脇に、これまで届いた手紙から〔バッドマン〕の居住圏が絞れないか訊いてみたことがあったが、答えはノーだった。

こういう手紙を書ける環境として、〔バッドマン〕が妻子持ちである可能性は低く、独り暮らしか干渉の少ない老親と同居の独身者だと思われる。一応の社会適応者であって、極端な引きこもりタイプではない。文章力から考えると、おそらく文系のそこそこの学歴を持っている人間である。〔ビートルキング〕の汚れを拭いたり、指紋が付きにくかったり、あるいは便箋に食べ物のかすやフケなどが載っていなかったりすることからして、普段から割と身の回りをきれいにしている潔癖症の男だろう……そんなことを私見として述べてはくれたものの、参考とするには根拠が乏しく、そして肝心のところが曖昧なままだった。

犯人の居住地というのは、一般的に年少者が犯人なら住居は現場周辺であり、大人ならむしろ離れている可能性が高い。しかし、最初の事件現場である宮前周辺に住居がある可能性も捨て切れない。仕事の営業などでこのあたりに土地勘があるのなら、住居がどこなどと特定するのは不可能となる。言ってしまえば、その程度の推測しかできないのだ。

「難しいですね」

本田が巻島の意を汲んだようにぽつりと言った。

この日、巻島はもう一度〔バッドマン〕に呼びかけてみようと、〔ニュースナイトアイズ〕の児玉に出演の申し入れをしてみたが、とうとう丁重に断られる憂き目に遭った。

〈何か捜査に動きがあるのでしたら歓迎しますけれど、ただ呼びかけるというのはいかがなものかと〉

「韮沢さんのご判断ですか?」

〈まあ正直に言うと、そういうことです。『もういいだろう』と〉

「そうですか。仕方ありませんね」

児玉は躊躇するような間を空けたあと、言葉を続けた。

〈実験は失敗だったなと言ってました〉

「そうですか……」

〈私はそれなりの意義があったと思いますけど、やはり視聴率を取ればいいというもんじゃないというのが番組を背負っている韮沢の考えなんです。世論をいたずらに煽ったり逆撫でたりしてると、信頼性が損なわれてしまう。そういう意味でも今度の公開捜査はうちの番組に馴染まなかったということだと思います〉

「そうですか……残念です。私も世間に支持されている番組に間借りする以上、信頼性を損なう言動はしないように努めてきたんですが……」

〈でも、はたから見てても巻島さんは謎が多かった。それは確かです〉

「捜査ですからね……あくまでも」

〈そうですね……まあ、吉報を期待してますよ〉

お互い、吐息を抑えたような挨拶を交わして電話を切った。

結局この日も〔バッドマン〕からの手紙が届かなかったことを確認して、巻島は少し早めに帰宅した。

「お帰りぃ」

朗らかな声で出迎えてくれたのはいずみだった。

「ほら、お帰りなさいって」

かたわらの一平にも言わせて、巻島に笑顔を向ける。

「来てたのか」

くさくさした気分が、娘の明るさでずいぶん和らいだ。

「週末は高崎に行ったりしてるうちに終わっちゃったし、彼がまた今日から出張に出てったからね。今、ご飯食べ終わって、ちょうど帰ろうと思ってたとこよ」

「今日は泊まっていけばいいじゃないか」

「だって一平の幼稚園があるじゃない。あ、お父さん、写真見る？」

いずみは手招きをして巻島を居間へ誘い、テーブルに置いてあったフォトアルバムを広げ

てみせた。

「お帰りなさい」

キッチンから園子が麦茶を持ってきた。このところは巻島と同じく気鬱そうな表情が多かった彼女も、今日は和やかな笑みを覗かせている。

「ほら、これが伊香保温泉で撮ったやつ。新しいデジカメだから、すんごいきれいに撮れてるでしょ」

巻島はネクタイを解いてソファに腰かけた。

「ほう、本当だな」

いずみと丈弘が交代で撮ったのだろう、一平と仲良く並んで写っている彼女らの写真がいろんな背景をバリエーションにしてアルバムを彩っていた。三人が顔を寄せ合って笑っている写真もある。

「これは彼が手を伸ばして、こうやって自分たちを撮ってるのよ。今はこういう撮り方するのよ。ねえ？」

いずみが一平の相手をしながら得意げに説明してくれる。

「それぐらい分かるさ」巻島は彼女に合わせて応える。

「あ、じゃあさ」いずみは楽しげにポンと手を叩いた。「今、デジカメ持ってるから、お父

さん、こういうふうに一緒に撮ってみようよ」

そう言って、いずみはバッグからデジタルカメラを取り出した。

「ほら一平、こっち来て。お母さんも」

隣に座って一平たちを呼び寄せるいずみを、巻島はやんわりと制した。

「お父さんが撮るよ」

「え？　みんなで写ればいいじゃない」いずみが口を尖らせて不満げな声を出した。

「いや、撮るほうが好きなんだ。貸してごらん。どこを押せばいいんだ？」

アルバムに入っているような幸せな家族という光景に、自分が作り笑顔で空々しく加わることには抵抗があった。たとえそのような写真が出来上がったとしても、見たくはなかった。

「つまんないよ。みんなで写るからいいんじゃない」いずみが拗《す》ねるように言う。

「いずみ、お父さんが疲れてるとこ、無理して撮らなくたっていいじゃない」

園子が気を回して言った。いずみも何かを察してか、一気にトーンダウンして、「はーい」と口をすぼめた。

それからいずみは気を取り直したようにとりとめのない話を巻島に向けてきたが、巻島のほうも気持ちよく付き合うには無理があり、会話は自然と途切れがちになった。

「じゃあ、そろそろ帰ろうかな」

八時を回った時計を見て、いずみが言う。

「ああ、じゃあ、お母さんが車で送っていくわよ」

進んで巻島の車を使うことの少ない園子がそう言うのは多少珍しく感じたが、夜であるのを考えれば当然そうしたほうがいいだろうとも思え、巻島は頷いて車のキーを渡した。

「いいわよ。お母さんはお父さんのご飯、用意してあげないと」いずみが笑って遠慮する。

「俺は食べてきたから」巻島は適当に嘘をついた。

「食べてきたって」園子が巻島の言葉を受けて、いずみを従わせようとする。「いいから、今日は言うこと聞きなさい」

ちらりと巻島を見た眼つきとともに、いつもより強引さのある園子の言葉は巻島の耳に引っかかった。

「何だ……何かあったのか？」

巻島が訊くと、園子はそれを改めて思い返したように眉を寄せてみせた。

「別に直接何かあったわけじゃないけど……」

「何だ？」

「ここんとこ、電話料金の領収証とかそういう郵便物が勝手に破られて郵便受けに入ってたりするのよ。それから無言電話が来るようになったし」

「…………」

しばらく家のことに気が回っていなかったことに気づかされ、巻島は複雑な思いで嘆息した。

巻島の住まい周辺をうろちょろする連中といえば、真っ先に記者を思い浮かべるが、彼らの仕業とは思えない。巻島が夜討ち朝駆けに応じないので、最近は彼らの姿もない。通例とは違うマスコミ対応に、彼らの間で不平不満があるのは分かっている。しかし、それに対抗して無言電話などの手段を使うというのは違うだろう。

「いずみのところには何かあるのか？」

「ああ、この間まではマスコミが結構来てたけど、今はそうでもないよ」いずみはあっけらかんとしている。「心臓がちょっと、とか言って苦しそうに押さえると、向こうも退くみたい」そう言って、屈託なく笑う。

気分は悪いが、沈静化しているならそれで納得するしかないか……巻島は不快さに妥協して、それを頭から追いやり、園子に「送ってやってくれ」と頼んだ。

一人になったあとも、巻島はソファに座ったまま、身体を溶かすような脱力感に浸った。

自分の顔を世間にさらし、過去や家庭環境をほじくり出されて、結果得たものは何だったのだろう。

何もない。

捜査は頓挫し、非難だけが残った。

いや、それは半ば予想がついていたことではなかったか。

こうやって傷つくことを何より自分自身が望んでいたのではなかったか。

でなければ、こんな見通しの暗い仕事に自分をなげうつような真似はしないはずだ。

しかし、無意識に望んだ結果にしては、それを甘受する気持ちにはなれない。当たり前のことだが、何の満足感もない。

不本意な思いを持て余して、巻島は腰を浮かせた。立ち上がってから何をしようかと考え、熱い湯でも浴びようと思い立った。

そこへ家の電話が鳴った。

園子の言っていた無言電話だろうか……直感でそんなことを思いながら、巻島は電話を取った。

〈本田です〉

予想はあっけなく外れ、巻島が帰るときにはまだ捜査本部に残っていた本田の声が耳に届いた。

「お疲れさん」

巻島のねぎらいを受けるのももどかしいというように、本田が報告を始めた。
〈〔バッドマン〕の手紙が見つかりました〉

＊

巻島史彦へ

望み通り返事をしてやるが、俺様の言いたいことはこういうことだ。つまりな、リストラされた人間や就職活動に失敗した人間が社会の落ちこぼれであって、その不満がそいつらをして反社会的な犯罪に走らせてるというお前の考え方は根本的に間違ってるということよ。職にあぶれる人間がいるってことは、その社会こそが間違ってるんじゃねえか。真面目に生きてる人間が、乾いたアスファルトの上にほっぽり出されてんだ。ずるいやつらはそれを見て舌を出してるのさ。世間を渡ることだけに長けた野郎どもよ。政治屋。小役人。こいつらみんな甘い汁に群がる餓鬼なんだよ。そう考えると、そのへんの道端で遊び呆けてるガキどももも、腹黒い連中のミニチュアに見えてきやがる。そのわざとらしい無邪気さがどうにも鼻

につきやがるのさ。俺様の行いが反社会的行為だとしても、その社会自体が腐ってやがるんだから、正当性はどちらにあるのか一目瞭然じゃねえか。世直しってことさ。フハハハハ。

巻島、もう少し楽しい話をしようぜ。

じゃあな。阿婆世。

帰ってきたバッドマン

＊

巻島がV類班の部屋でその手紙を手にしたのは、本田から連絡があった翌日だった。

本田から報告を受けて事情を把握した巻島は、急遽捜査本部に取って返すというような目立つ行動は避けることにした。本田にも関係者を最少人数にとどめるよう情報管理の徹底を指示した。これが最後のチャンスであるという意識が巻島にあった。

「〔バッドマン〕の音信が途絶えてしまった理由が、この最後の手紙に隠されてると思います」

本田はV類班の作業テーブルに県地図を広げて、班員や巻島に視線を巡らした。

本田が電話連絡で言ったように、この手紙は捜査本部に郵送されたものではなく、〝見つ

かった〟ものだった。

発見場所は横浜市青葉区荏田西《えだにし》。東名高速道路の中央分離帯にある植え込みに引っかかっていたのを整備作業員が昨日の夜に発見した。そのまま青葉署を通じて本田のもとまで現物が届いたのだった。

手紙は風雨にさらされ薄汚れたものになっていたが、文章の判読に支障はなかった。

「おそらくこれは、前の手紙が届いて捜査官が番組出演してから時間を置かずに書かれたものに違いないでしょうね」

それがポストに投函されず、高速道路の中央分離帯に落ちていた。状況的にまず考えられることは、車に乗っていた〔バッドマン〕が何らかの理由により窓から投げ落としたということだ。たまたまスピード違反などでパトカーに追われ、咄嗟《とっさ》に……しかしその説は、その場にいる刑事たちの間で暗黙のうちに優先順位を下げていた。

「発見現場から横浜町田インター方向に二百メートルほど……そこに鶴蒔《つるまき》橋が架かってます。車も歩行者も渡れるごく普通の橋です。おそらく〔バッドマン〕はここを渡っていたときに、手紙を飛ばしてしまったんだと思いますね。調べてみると、先週の週明け、ちょうどここでアイドルグループが一日署長を務めたイベントの日ですけど、終日十メートルから十五メートルの風速が計測されてます。橋には二メートルほどの高さの金網が張られてますけど、風

に巻き上げられたとしたら、それも用はなさないでしょう」

確かにその日、いつになく風が強かったことを巻島も憶えている。本田が明かした見解は至極妥当であると思われた。

西脇が話を引き取るように口を開く。

「〔バッドマン〕が直接手紙を手にして歩いてたとは考えにくいですから、たぶんバッグかどこかに入れておいたんでしょうね。上着のポケットあたりが可能性としては高いのかもしれない。で、何かを取り出す拍子に手紙がそこから出てしまったか……あるいは投函前にもう一度、切手や宛て名でも点検しようとして取り出したのか……その前あたりから〔バッドマン〕も意識的に指紋の付着を避けるようになってましたから、封筒を指の股で挟んだり、あるいはハンカチ越しに持ったりと、不安定な持ち方をしたんじゃないでしょうか。そのために手を滑らせて、風に奪われてしまった……十分成り立つ話だと思います」

あっという間に手紙を飛ばされ、その先は高速道路だった。道路上をひらひらと舞い、そして見失った。一般歩行者が簡単に入れるところではない……。

巻島は〔バッドマン〕の人物像を推し測ってみる。

今まで漠然と考えていた以上に、神経質で小心者だ。この手紙を落としたために、その後のやり取りからもあっさり手を引いてしまった。高速道路に降り立って手紙を探す危険も冒

さない。今はまだ、手紙が見つからないかどうかびくびくしていることだろう。

「これは大きいですよ」

本田はやや興奮気味に、昨晩の報告でも口にしていた言葉を繰り返した。

巻島は頷く。

何より大きなことは、封書の消印などでは当たりのつけようがなかった〔バッドマン〕の居所が大幅に絞られたということだった。通勤途中か通学途中かあるいはどこかに遊びに行く途中かは知らないが、発見場所は新宿や渋谷などの大きな街ではない。ベッドタウンだ。かなりの確率で、〔バッドマン〕はこの付近の住人であると言い切ることができる。

「市《いち》が尾《お》駅に向かう途中だったんでしょうね」西脇が地図を指でなぞりながら言う。

今まで新宿や渋谷のポストに投函されていたことを思えば、〔バッドマン〕は高速道路を境界線とする市が尾駅とは反対側のどこかに住んでいて、そこから高速道路に架かる橋を渡り、市が尾駅で電車に乗り、渋谷方向に向かうという行動パターンを持っているのだと推測できる。よその地域からやってきて、市が尾駅で電車を降り、高速道路に架かる橋を逆に渡って荏田や茅ケ崎《ちがさき》といった地域に用事がある人間である可能性もないとは言えないが、それは前者を検討し尽くしてから考えることであって、目下のところは目をつぶってもいいだろう。

「そうすると、市ケ尾町のこの一角から荏田西、荏田南、大丸《おおまる》、見花山《みはなやま》あたりですか」本田が呟くように言う。

「いや、大丸や見花山あたりだと、この高架下の道路を使うでしょうな」津田が節立った指を地図に載せた。「荏田西や荏田南でも北部なら江田駅のほうが近い。だいたいこのあたりと見ていいんじゃないですかな」そう言って彼は半径五百メートルほどの地域に指で円を描いた。

「ふむ……」

住宅密集地であるだけにその地域内でも相当の世帯数が容易に想像できるが、これまではその居所が神奈川県内とも東京都内とも知れなかったことを思うと、ようやく現実的な捜査範囲を見渡せるようになったと言ってもいい。漠としていた視界の焦点が一気に定まり、最初に〔バッドマン〕の手紙が届いた頃の緊張感が舞い戻ってきた。

劇場型捜査の綾はこういう形になって現れたということだ。この捜査を仕掛けなければ、この結果も得られることはなかった。衆人環視の空間に関わろうとしたばかりに〔バッドマン〕は魔物に魅入られ、知らず知らず平常心を失い、そして考えられない失敗を犯した。人の海で彼も溺れたのだ。

これを〔ニュースナイトアイズ〕で発表しても、もう〔バッドマン〕からの返事は来ない

だろう。これ以上、捜査を飛躍させる出来事はこの先いくら待っても起こらないと思ったほうがいい。ここで最後の勝負を懸けるしかない。

「とりあえず本田のもとで数人投入して、具体的にどこまでがこの橋を通る居住地域なのか現場の目で確かめてくれ」

「分かりました」本田が応える。

「それから、これまでに集まった各類の情報を点検して、この地域に関係するものを抜き出す作業をこの班でやってくれ。いつものように〔バッドマン〕による情報攪乱の可能性を調べるという名目でいい。俺が捜査方針を立てるまで、この件についてはほかの班に向けても情報管理をしてほしい」

巻島は班員たちに視線を巡らせ、全員から了解の反応をもらった。

「じゃあ頼む」

その後、巻島は形ばかりの幹部会議に臨んだ。

「何だかこうやって貴重な時間を割いて我々が集まるのも馬鹿馬鹿しい気がしてきますな」

しらけた空気が沈滞するこの会議では、一課の中畑が遠慮のない放言を吐き捨てるのがお馴染みの光景となってきていた。植草が渋い顔をしようと、もはや関係ないと言いたげな開

き直りようが、この場の雰囲気を一層ささくれ立ったものにしていた。

「お手持ちの捜査で何か進展があれば聞いておきたいのです」

巻島の言葉に対して返ってきたのは、不満を露《あらわ》にしている面々の、鼻で笑うような失笑だけだった。

「野々上の件はどうなったんですか？」険のある口調で幹部の一人が訊く。「間を持たせるだけのために、さも我々の捜査に興味があるふりをされるのは至極不愉快ですよ」

「野々上の件については、もう少しお待ちください。今の時点では特に報告する事項はありません」

何人かが呆れたようにペンを置いた。

「いつまで同じ言葉を聞かされなきゃいけないんですか？」

「見込みのないところで靴をすり減らしてる連中の身にもなってくださいよ」

「いくら本部長の肝煎りだからといって、やり方がでたらめ過ぎやしませんか？」

最後の勝負を前にして、捜査態勢にまったく連帯感の見えないこの状態が好ましいとは巻島も思ってはいなかった。責任のおおかたは巻島にあり、自分が組織の統率に秀でたタイプでないことは自覚している。捜査を意のままに推し進めながら組織を結束させ続けるには、この捜査は独特であり過ぎ、そしてこの捜査本部は巨大になり過ぎていた。

「分かりました。こういう形式的な集まりを続けても確かに意味がないかもしれません。今後は何らかの必要性が生じた場合にのみ招集することにします」

「まったく答えになってませんな」捜査一課の藤吉が苦々しげに言う。

「皆さんの力を借りるときが必ず来るということです」巻島は敵意ある視線を押し返すように彼らを見た。「本部長から来週明けまでとの時間をもらっています。私はそれで何とか結果を出したいと考えている。そのためにもあと少し、慎重に足元を固めたいと思っています。今さら自分のやり方を変えるつもりはありません。理解してもらうしかないということです」

一瞬、聞く者たちに意外そうな表情が浮かんだのは、巻島が曾根に最後通牒を突きつけられているという事実に対してであろう。巻島の言葉をどう咀嚼していいものかというような戸惑いがかすかに見られた。

「とうとう尻に火がついて、いったい何をどうする気なんですかな?」中畑が鼻息とともにそんな言葉を吐いた。

「まあ、あと一週間の辛抱だ」

誰かが皮肉丸出しで言い、それが散会の空気を作った。

参席者たちが出ていき、静かになった部屋の中、植草が苦笑混じりに口を開いた。

「ひどい会議ですね」

巻島が目で応じると、彼は一転、首を捻り気味にして表情から笑みを消した。

「ちょっと引っかかったんですけど、足元を固めてるっていうのは、どういう意味ですか？ 野々上の捕捉に目処《めど》がついたということですか？ それとも野々上を犯人とするに足る証拠固めが進んでいて、居所を摑むと同時に逮捕という道筋ができつつあるということなんですか？」

「そのうち報告できると思います」巻島は答える。

「経過は僕にも教えられないと？」

「大事な時期ですから少し時間をください」

「そうですか……」

植草は不満をかろうじて呑み込んだような相槌を打ち、「分かりました」と言葉を続けた。

「来週明けまでは、巻島さんの力を信じてますよ」

そう言い置いて、彼は部屋を出ていった。

「あれはどうしますか？」

植草の背中が消えたところで、最後まで残っていた本田が訊いてきた。

「黙って信じてくれるならいいさ」

「あの口振りだと、どうかという気はしましたけど」

意地悪い本田の一言を冗談と取りながら、巻島は小さく首を振った。

「どちらにしろ楽しいものじゃないよ」

「でしょうね」

「君が捜査の指揮をとるようになったら、俺みたいなやり方は真似しないことだ」

「ええ、反面教師にしますよ」

そう切り返され、巻島は彼と苦笑を交わし合った。


「津田長、ちょっとお茶でも飲みに来ないか？」

専用別室で椅子に腰を落ち着けた巻島は、内線で津田を呼んだ。

間もなく津田が、恐縮するように少し猫背になって現れた。

「この二、三日のうちにも勝負を懸けようと思ってる」

巻島は若手刑事に持ってきてもらった熱いお茶を一口すすって言った。

「しかし、居住地をある程度限定したとして、面も紋も取れてない。いったいどうするおつもりなんですかな？」津田が穏やかな面持ちながら、わずかに眼を細める。

「それなんだがな……」

巻島は自分が考えている手を彼に話してみた。

「どう思う？」

感想を訊くと、津田は渋い声で唸った。

「無謀か？」

「いや、今の条件で結果を出さなきゃいけないとするなら、それしかないでしょうな」

「〔バッドマン〕の住みかが推測通りだとして……まあ、これは十中八九その通りだろうと信じてる……ここまで絞り込まれた以上、この先俺が指揮を降りても、いずれあと一年、二年かければ〔バッドマン〕を挙げることは不可能じゃないと思う。そういう意味では、ここで俺が博打に出る必要はないかもしれない。ただな、津田長、やっぱり俺は自分の手でやりたいんだ。少しでも時間が残されてて、試す価値のある方法があるんなら、俺は勝負したいんだ」

「もちろんそうでしょう。その本能があなたを今の職にとどまらせているんでしょうしね」

「かもな……」

「ですが、これは一芝居ですよ。思うに、あなたはふてぶてしいまでに大見得を切らなきゃいけない。そうやって〔バッドマン〕を呑み込まないといけない」

「分かってる」

「もしかしたら一段と世間からの拒否反応を買うかもしれない……逆に言えば、それくらいの偉ぶりが必要でしょう」

「そうだな」

「何かためらいがあるんですか？」津田が首を傾げて巻島を見る。

「どうだろう……自分でもよく分からないんだ」

「今度こそはカメラの前で嘘をつかなきゃならないということですか？」

「まあ、それは考えようでな、俺なりには布石を打って自分へのエクスキューズを張ってある」

「複数犯説とやらですか」そう言って、津田は目尻を下げた。「あなたは根が正直者なんですよ。嘘をついたり人を出し抜いたりすることが得意な性分じゃない。だから六年前もマスコミの前で失敗してしまった」

「そうかもな」

「でもこの世界、嘘をついたり人を出し抜いたりしなきゃいけないことも多い。あなたは無理してそれをやってる」

巻島は肩をすくめる。

「嘘が苦手なだけじゃないさ……」吐息を挿んでから呟く。「本心をさらけ出すのも苦手だ」

「それはちょっとした勇気の問題でしょうな」

「ふむ……そうだな」

自分の弱さを受け止めてくれる人間がそこにいるというだけで、何となく気持ちが安定する思いだった。

「ありがとう。せいぜい無理してるようには見せないさ。開き直ってやるつもりだ」

津田は巻島の言葉ににこりとして頷き、それからあとは今までの話などさっぱり忘れたように、ただひょうひょうとお茶をすするだけの姿を決め込んだ。

＊

植草は県警本部に戻ってからも、会議での巻島の言動が気になっていた。

あの何とも思わせ振りな台詞……曾根本部長が線引きしたリミットを受けてのあの言葉は、確実に何らかの動きが彼の頭にあることを匂わせている。

何をやろうとしているのか？

もともと今日の巻島はどこか物腰が違って見えた。昨日までの、何とも手応えのない態度に終始していた巻島ではなくなっていた。

何か捜査に進展ないしは変化があったはずだ。

それを植草にも言えないという。

大事な時期だと言っていたが、それはその通りなのかもしれない。

このところ、目新しい情報が出てこないことから、未央子との連絡も冴えないやり取りが続いていた。〔ニュースナイトアイズ〕との報道合戦は膠着《こうちゃく》状態となっているが、〔ニュースライブ〕の視聴率も十パーセントのラインを取り戻し、ダブルスコアを記録していた頃の惨状は脱したために、彼女としても多少は一息つける状態であるらしい。

ただ、このままでは植草自身、物足りなさが残ってしまう。日々、そう感じている。

未央子に手を貸して、それなりの力になってはやれたが、それはその勢いのまま彼女の心を奪い取るまでの圧倒的な力ではなかった。負け戦なりの格好はつけたという程度だった。

公開捜査は彼女との再会のきっかけになったし、今後もうまく流れを作れば、二人の仲はごく自然に艶やかなものへと変わっていくだろうとは思う。

しかし植草は、もう一つ不完全燃焼的な思いを拭い切れない。

もっと未央子に自分の力を見せつけたいのだ。そして、憧憬の眼差しで見つめられたいのだ。

巻島が捜査の大詰めを迎えて何らかの動きを考えているとするなら、植草にとっても逃し

てはならない最後の好機である。

自分が指揮の座から外されるのを、巻島が漫然と待っているわけがない。野々上という重要参考人まで挙がっているのだ。いまだそれを本部長に報告しないということは、最終的には勝算を持っている証だろう。

裏を読んでみるに、解決への流れはすでに出来上がっているのかもしれない。巻島のことだ、その形を格好よく仕立て上げようとしているのではないか。味噌をつけてバッシングの的にまでなった男だけに、最後の最後で挽回の機会を窺っているのではないか。劇的な犯人逮捕となれば、世間の彼に対する見方などあっけなく引っくり返る。

もしかしたら、〔ニュースナイトアイズ〕に緊急出演しての逮捕発表などという展開を考えているのかもしれない。今までの協力に対する謝意のつもりとして、それくらいのことをやってもおかしくはない。巻島自身の名誉挽回としても一石二鳥だ。

それを黙って見ているのは面白くない。〔ニュースナイトアイズ〕にスクープを抜かれて終わるのでは、未央子もこの上なく後味が悪いだろう。

正直なところ、捜査が長期化するにつれ、円満な事件解決という成功物語は、植草の中でそれほどの重要性を持たなくなってきている。刑事の習性が自分に染みついていないことも理由の一つかもしれない。捜査がこじれればこじれたで、他人事のような気分で楽しんでい

たのは確かだった。

自分がいくら公開捜査の発案に嚙んでいて巻島を監督する立場にあるとしても、捜査の失敗で責任を取らされるのはしょせん巻島までである。それはこの世界のヒエラルキーがそういう仕組みになっているだけのことであって、植草自身が気を遣う必要は何もない。

もちろん、事件が解決するのを邪魔するつもりはない。ただ、巻島が描いている筋書きがあるのなら、それをちょっとばかりいじっても構わないだろうとは思うのだ。

巻島はどんな筋書きを立てているのだろうか？

鉄のカーテンの向こうが気になる。

巻島には直接訊けない。

とすれば、どうするか？

植草はとりあえず昼になるのを待って、V類班に送り込んだ舟橋の携帯電話にコールを入れてみた。あまり期待はできないが、V類班の部屋は巻島が頻繁に訪れると聞いている。何かのヒントを津田や西脇に洩らしているかもしれない。

ぶらぶらと関内のほうに歩いているうちに、舟橋から折り返しの電話がかかってきた。

「お疲れさん。今、いいか？」

〈はい……一人です〉舟橋が緊張気味の声で答える。

「巻島は今もちょくちょく覗きに来るのか?」

〈え……ええ〉

「どんな様子だ?」

〈あの……〉舟橋は軽く口ごもってから続けた。〈あれはお聞きになってらっしゃらない?〉

「何だ、あれって?」何も思い当たらず、植草は眉をひそめた。

〈いや、あの……〉

「何だ?」植草は苛立った声で舟橋を急かした。

〈ええ、あの、〔バッドマン〕の手紙が見つかったことですけど〉

「見つかった?」植草は声を上ずらせた。「いつ?」

〈き、昨日です〉舟橋は消え入りそうな声で答えた。

植草は慌てて、舟橋から詳しい話を訊き出した。

「……で、巻島はどうしようと?」

〈いえ、そこまでは。とりあえず今は、その近辺についての情報を洗い直すよう頼まれてるだけです〉

「そうか……」

電話を切った植草は、昼食の店を探すのも煩わしくなり、コンビニで適当にパンを買って

横浜公園のベンチに腰を下ろした。

〔バッドマン〕の手紙が高速道路の中央分離帯に落ちていた……巻島が思わせ振りな台詞を吐くはずだ。

場所は青葉区……市が尾駅から歩いて数分のところらしい。これを野々上の線と絡めて考えるとどうなる？

野々上が厚木を離れて市ケ尾周辺に潜伏していた可能性が出てくるということだ。おそらく知り合いがいるのだろう。そのつながりをたどれば、野々上は捕まえられる。

手紙を落とし、さらに防犯カメラの映像が〔ニュースライブ〕で流されたことにより、野々上は〔バッドマン〕ごっこをあっさりやめてしまったのだろう。今は市ケ尾を離れてしまったかもしれないが、その足取りを追うことについては巻島の表情を見る限り、確かな手応えがあるのではないか。

一つ気になるのは、巻島が〔ニュースナイトアイズ〕の出演で口にしていた複数犯説だ。あれは巻島自身の疑惑払拭と、〔バッドマン〕への挑発、野々上の足取りが摑めるまでの時間稼ぎなどいろんな意味を込めての発言だと思っていたが、それだけではないという可能性も出てくる。市ケ尾にいるのが共犯者であるということだ。

その場合の結末は巻島にとってこれ以上ないものとなる。終わってみれば巻島こそ信用に

足る人物であり、〔ニュースライブ〕や迫田は、単なるひがみ根性で横やりを入れていただけの、いい加減な存在だったという形に収まってしまう。

せめて、巻島一人勝ちの図式は崩しておきたいところだ。

それにはどうすればいいか？

やはり〔ニュースライブ〕が〔バッドマン〕逮捕への捜査本部の動きを先行報道してしまうのが一番効果的だろう。〔ニュースナイトアイズ〕に出演する巻島の口から最初に発表されるよりは、確実に衝撃度が和らぐ。〔ニュースライブ〕の存在感もアピールできる。そのあと〔バッドマン〕逮捕ということになれば、その発表は〔ニュースライブ〕のスクープを認める形となる。それなら未央子の面目も立つはずだ。

反芻するように思考の一つ一つを検討し直してみる。が、総じて自分の読みは的を射ていると思えるし、取るべき手段も、まずは未央子と自分、それから事件解決という優先順位を押さえた順当なものだと言える。巻島には悪いが、彼の優先順位はそれらのあとだ。

植草は自分の考えに納得して、携帯電話を未央子につなげた。

「おはよう」

植草の声に、未央子は同じく〈おはよう〉と反応してからすぐに続けた。〈何かあったの？〉

「ほう、さすが勘が鋭いね」

〈だって、最近、植草君からかかってくることってなくなってたし〉

「だね。本当はこんな話題だけじゃなくて、楽しい話なんかで盛り上がりたいところだけどな。まあ、すぐそうなるとは思うけど」

〈動きがあったのね？〉未央子が急かすように訊いてくる。

「ああ、その通りだ」

＊

〈現在、捜査本部前の山川記者と中継がつながっています。山川さん？〉

巻島はその夜、宮前署内のいつもの専用別室に残っていた。

V類班の手によって、他班で整理された情報をふるいにかけていったところ、〔バッドマン〕の手紙が発見された市ケ尾近辺の公園で、不審な男に後ろから頭を叩かれた子供がいるという情報や、猫の頭にポリ袋をかぶせるようないたずらが起きていたという情報などがちらほらと見つかった。そんな作業が夜更けになっても続いていたので、巻島も上がってくる報告を待ちながら、部屋に据え付けられたテレビで〔ニュースライブ〕を何気なく見ていた

のだった。

〈はい、こちら捜査本部のある宮前署前です〉

この建物の外で中継が行われているというのは何とも不思議な気分だった。そして、わざわざ〔ニュースライブ〕が中継する魂胆も巻島には読めなかった。

〈山川さん、捜査本部では今日何か動きがあったんでしょうか?〉スタジオの杉村が訊く。

〈はい、こちら捜査本部ではですね、〝巻島のカーテン〟と関係者の間で呼ばれている情報規制がこのところ徹底していまして、捜査が現在どの段階に来ているかということについては、捜査本部の中でもごく一部の人間しか把握していないとも言われています。

そんな中、未確認情報ではあるのですが、〔バッドマン〕の新たな手紙が発見されたという話が聞こえてきています。これは郵送で送られてきたものではなく、県内のある場所で発見されたものということで、捜査本部では〔バッドマン〕が何らかの理由で落としたのではないかと捉えているようです。文面などはまだ不明なのですが、発見場所などから〔バッドマン〕の重要な手がかりが得られたとして、引き続き慎重な捜査が進められる見込みだとの情報が伝わってきています。現場からは以上です〉

巻島は思わず嚙み合わせた歯に力を入れた。顔を手で拭い、立ち上がって、ブラインドの隙間から外の様子を見る。だが、巻島の部屋からは死角になっていて、中継の明かりは見え

なかった。

直接植草に報告したわけでもないのに、情報が流れてしまっている。陰でV類班の誰かから聞き出したのか……いや、それが誰かということより、そうまでして巻島の足元を揺るがせたがる植草の執拗さが今は問題だった。

さすがに、これから先はうろちょろされると困る。

やるしかないか。

巻島は気持ちを固めて本田を呼んだ。

＊

「昨日の報道については、大筋、その通りの事実が推移しております」

翌日、曾根本部長の前で、巻島が前夜の〔ニュースライブ〕の報道内容を認めた。横で聞いていた植草は、心の中でしてやったりの思いを嚙み締めた。

「手応えはあるのか？」

犯人の居所であるかもしれない市ケ尾という具体的な地名が巻島の報告によって浮かび上がり、本部長の声にも期待感がこもっているように聞こえた。

「あります」巻島は顔色を変えずに答えた。

「ふむ……手柄を後任に取られたくなかったら、全力で行け」

本部長はいつも以上に厳しい眼差しで巻島にハッパをかけた。

本部長室を出た巻島の足取りには、心なしか力強さが感じられた。

「本部長はかなり期待を持ったみたいですよ」

暗に大丈夫かとの問いを込めて、植草は口にしてみた。

このところ、巻島と植草が報告に上がっても、本部長からは突っ込んだ質問も具体的な指示も、ほとんど出なくなっていた。一見、それは巻島に一切を任せているように見えるのだが、おそらく本部長は公開捜査が行き詰まりを見せた頃から少しずつ展望に見切りをつけ始めていたのだろう……それが巻島との距離に表れているのだと植草には思える。

巻島も少しは報告に色をつけて、本部長の期待をつなげるように持っていけばいいものを、そうしようとはしない。本部長が口出ししないことで自分の裁量が自由に利くとでも思っているのかもしれない。

しかし、今日は一転、見る者に期待を持たせる巻島の態度だった。自信さえも垣間見え、それを裏づけているものの正体が何なのか、植草も大いに気になった。

「実際、大詰めに来てます」

巻島の言葉は、植草のとりとめのない思考を一瞬にして中断させた。

「所在を突き止めたんですか?」

巻島はエレベーターホールの片隅に寄って立ち止まった。周囲には誰もいなかったが、彼はそれでも小声になった。

「突き止めました。野々上の友人が市ケ尾の近くの大丸というところに住んでます。速水恒《はやみつね》夫《お》という男で、この男がその近所で猫に袋をかぶせて遊んでいたとの目撃も出てます。空き巣の前科があって、宮前区、多摩区あたりの土地勘もある。少年時代から野々上とは連れ立って遊んでいたようですが、速水のほうが親分格で、力関係は上だということです」

「というと、やはり二人の犯行で?」植草は声が上ずりそうになるのを抑えて訊いた。

「間違いないでしょう」巻島は答える。「主犯が速水のほうで、〔バッドマン〕の手紙も速水が書いたと見てます」

巻島の言葉の選び方から、植草は本当に捜査が終局を迎えていることを知った。

「で、今後の対応は?」

「今後というか、今夜にも動きます」

「今夜?」

もうそこまで進んでいるのか……カーテンの向こうにいた巻島が予想以上の収穫を手にし

ていたことを知って、植草はにわかに焦りを募らせた。

「これまでは野々上の所在確認に手間取ってましたが、主犯格の人間が浮かんできた以上、これへの対応がすべてに優先します。速水には窃盗で容疑の固まってるやつがありますから、これでひとまず都筑《づき》署に引っ張るつもりです。都筑署の刑事課と調整を済ませて、今日の七時を予定してます」

別件逮捕か。巻島自身のタイムリミットが迫っている今、彼はこういう形で勝負に出ようとしているわけだ。もともと犯人に結びつく物証等が乏しいだけに、別件逮捕で取調べや家宅捜索に懸ける方法を取るのは致し方ないところなのだろう。

「本部長に言わなかったのは、本ボシだという確証がないからですか？」

巻島は言下にかぶりを振った。「確かに物証という意味ではそうかもしれませんが、状況的に見て、私は確信を持ってます。でなければ、別件では挙げませんよ。好みの手じゃないですから」

「なるほど……じゃあ、速水を落としてから報告ですか？」

巻島はかすかな冷笑とともに頷いた。「その線でお願いします。私の口から報告させてください。私にもちょっとした意地がありまして……見返したいというか、本部長をあっと言わせたいと思ってるんですよ」

「そうですか……分かりました」

超然としているように見えて、やはり巻島にも安い意地があるのだなと、植草は一つの発見をした思いだった。巻島がまとっている謎めいた雰囲気が霧散した気がした。

「それから」巻島は居もしない人影を気にするように首を巡らせてから続けた。「マスコミ発表についても、いろいろ考えてます」

「というと？」

「〔ニュースナイトアイズ〕には世話になりましたから、多少便宜を図ろうかということです。速水の連行の現場をカメラで撮らせるつもりです」

こいつ……終局を前にして、とうとう我を隠さなくなったなと植草は思った。協力に対する便宜と言いながら、その真意は、ほかのマスコミに散々叩かれた腹いせだろう。

「一社独占ですか？　これまで以上に反発を買いますよ」

「どのみち私はこれで裏に退がる人間ですから、好きにやらせてもらいます」

巻島は開き直ったように言ってのけた。

昼休み、植草は赤レンガパークの一角で未央子と落ち合った。電話より直接会って話したほうがいいと言うと、彼女は直感で事の重要性を察知したのか、二つ返事で飛んできた。

「クライマックスは突然来るもんなんだな」

海を背にして未央子を迎えた植草は、作った余裕でそう切り出した。浮き足立つ気分を内に隠したつもりだったが、鼻息の抑えが利かないあたりに、いつもの自分でない感覚があった。

「クライマックス……って？」未央子が声を強張らせて訊く。

「今夜、捕り物があるんだ」

未央子は口を半開きにしたまま眼を見開いた。彼女自身、それほどの衝撃を感じたということだ。

この事件に未央子と関わって、彼女の素直な感情表現を何度、目にすることができただろうか。それだけでも植草には価値のあることに思える。そしてそれ以上に満足感を覚えるのは、彼女の頭の中を占め、彼女が何より優先させて打ち込んでいること……つまり、彼女の今現在の人生そのものと言ってもいい部分に、自分が深く関わり、ある意味では、自分の存在なしにはそれが成り立たなくなっていることだった。

自分は今の未央子にとって、絶対的な存在になっている……もちろんそれは、愛情でつながる関係をも超えている……植草にはその自信がある。

そんな植草の胸の内を知ってか知らずか、未央子はほのかに紅潮させた顔を植草に向けた。

まずは心を落ち着かせるように、〈バッドマン〉がどういう男だったのかと訊いてきた。それから、それこそが本題だとばかりに早口で次の質問を繰り出した。

「で、マスコミ発表はどういう段取りになってるの？　もう現場の記者には伝わってるの？」

「記者連中に教える気はさらさらないらしいよ」植草はその主語が巻島であることを、吐き捨てるような語調で表現した。「〈ライブ〉とかに叩かれた腹いせだよ。最後の最後まで〈ナイトアイズ〉に独占させる気なんだ」

「何それ？」未央子は露骨なまでの不快感を顔に出した。「もしかしたら、出演して逮捕を発表するってこと？」

「いや、そうなるかもしれないけど、それほど単純じゃない。物証が乏しいから、とりあえずは別件逮捕なんだ。取調べで落とすわけだよ」

おそらく、マスコミが伝える第一報はこうなるだろう。〈都筑署で取調べを受けている窃盗容疑の男が、川崎男児連続殺害事件について犯行を認める供述をした模様〉と。巻島はこの一報も〈ニュースナイトアイズ〉に渡したいだろうが、それに合わせてタイミングよく速水が落ちるわけもない。

「だから、巻島が考えてるのは、捜査のけりがついてから、改めて〈ナイトアイズ〉に出演

して、逮捕までの経緯を話すってことだと思うよ」

「あの人のしそうなことね」未央子は憤懣《ふんまん》のこもった吐息をついた。

「でも、問題はそれだけじゃない。あいつは絵になるおまけも用意するつもりなんだ」

「おまけ？」

「犯人が都筑署に連行されるところを〔ナイトアイズ〕に独占撮影させておくらしい」

未央子は眼を見開き、ほとんど睨みつけるように植草を見た。

「冗談じゃないわよ」苛立ち紛れに何度も髪をかき上げて言う。「そんなこと絶対許せない。最後の最後でそんなことされたら、たまったもんじゃないわ」

未央子が同意を求めるように視線を外さないので、植草は頷いてやった。

「俺もそう思うよ。当然だ」

「ねえ」

未央子が植草の腕を摑んだ。

「うちもディレクターを送るわ」

野々上の映像を〔ニュースナイトアイズ〕に渡さなかった巻島の慎重な性格からして、いくら連行の現場を撮らせたとしても速水が自供に踏み切らない限り、その映像を放映させる

ことはないだろう。あらかじめそういう約束を交わしているはずだ。

速水の逮捕は予定通りならば七時。その後、都筑署へ連行して取調べとなる。〔ニュースナイトアイズ〕の放映時間までに速水が落ちるかどうかは微妙なところだ。巻島はもしかしたらそこまで計算して、逮捕の予定時刻を逆算しているのかもしれない。〔ニュースナイトアイズ〕の番組中に速報が出せるように。

すべて巻島の思惑通りに事が運んだとするなら、〔ニュースライブ〕が多少の割を食うのは避けられない。放映時刻が三十分遅いからだ。それだけは動かしようがない。

しかし、速水の自供が十一時以降にずれ込んだときは、巻島の息がかかっていない〔ニュースライブ〕のほうが俄然有利となる。連行の現場を撮っていれば、場合によっては自供前であっても、氏名を公表せず、顔にモザイクをかけた状態で放映することだってできる。早晩速水は自供に追い込まれる。その手応えのほどを、植草は巻島の言動から知っている。躊躇する手はない。

別に、それで出し抜いたからといって、誰かが迷惑する話ではない。巻島や韮沢らが陰で地団駄を踏むぐらいのことだ。誰がリークしたかなどという詮索を気にする必要もない。〔ニュースナイトアイズ〕が情報の一端を得ている以上、テレビ局同士の情報戦の結果である可能性を捨て切れないからだ。万が一、巻島が植草に疑いを抱いたとしても、巻島は後ろ

から睨みつけるくらいがせいぜいだろう。上下関係というのはそういうものなのだ。

午後になって通常の仕事に戻っても、植草は頻繁にデスクを離れた。さすがに大きな局面を控えて、頭をそこから逸らし続けることはできなかった。速水の素性や住所など未央子が必要とする情報については、巻島から聞いた限りを彼女に伝えておいた。植草はその後も彼女に電話をかけて動きを尋ね、それに対して細かいアドバイスを送った。

速水の住むマンションのはす向かいに八階建ての雑居ビルがあり、そこの踊り場が、身を潜めてカメラを構えるには持ってこいの場所となっている……そんなふうに、現地に飛んでいったディレクターからは、すでに撮影場所を確保したとの連絡も未央子に入ってきたようだった。

五時を過ぎて、植草は巻島に電話をつなげてみた。

「今朝の件については、その通り動いてるわけですね？」

〈予定通りです〉巻島が業務口調で答える。

「巻島さんは都筑署に向かうんですか？」

〈私は帳場で連絡を待ちます〉

「僕もこちらに残って報告を待とうと思いますが」

〈結構です。そうしてください〉

宮前署に行ってダイレクトに動向を摑みたいのは山々だが、自供となれば未央子に速報を伝えなければならない。植草自身、県警本部に残っていたほうが何かと動きやすい。

「で、もし今夜中に完落ちしたらの話なんですが、巻島さんはそのままミヤコテレビに行かれるわけですか？」

〈いえいえ……そんな取り込み中に帳場を離れたりはしません。まあ、とりあえず、児玉さんあたりに一報は伝えておきますけど、出演は翌日以降になるかと思います〉

その一報で〔ニュースナイトアイズ〕は連行の映像を含めたスクープを放映するわけだ。

「記者会見はどういう形で？」

〈それはもしかしたら本部長が同席を希望されるかもしれませんので、本部長に報告を終えてから改めて考えたいと思います〉

「なるほど……で、本部長には巻島さんから報告をする、ということでしたね？」

〈そうです。それでお願いします〉

「分かりました。また何かありましたら」

電話を切って、植草は思わず大きく息をついた。巻島と話しているうちに不意に湧き出してきた緊張感で、いよいよこの捜査がクライマックスを迎えているという思いを再確認したのだった。

＊

七時を十五分ほど過ぎた頃だった。宮前署内にある巻島の専用別室のドアがノックされ、本田が入ってきた。

「都筑署の刑事課長から電話がありました。六時五十分、清水《しみず》を自宅マンション前で逮捕、連行、七時八分に都筑署へ到着したとのことです」

「早かったな」

巻島はどうでもいいことを感想として口にしながら、机上の電話を県警本部の植草につなげた。

「巻島です。今、予定通り、速水を都筑署に連行し終えました」

〈そうですか……ええと、確認しますけど、ハヤミツネオは速度の速に水……〉

「立心偏の恒に夫《おっと》です」

〈三十八歳、リサイクルショップ勤務と〉

「そうです」

〈分かりました。また動きがありましたら、お願いします〉

「はい」

電話を切って、巻島はおもむろに首を回した。

「慣れないことをすると、肩が凝りますか？」本田がいたずらめいた口調で訊く。

「そんなきれいな人間じゃないさ」

「でも、どうして清水を速水にしたんですか？」

「清水の親御さんも、自分の息子が川崎事件の犯人だなんて報じられたらびっくりするだろ。名前が違ってたら、そんなニュースは信じられないと思える」

「まあ、そういうことだろうとは思いましたけど」本田は笑いを含んで言う。「清水も悪質な窃盗犯らしいから、少しくらい懲らしめてもいいと思いますけどね」

「とばっちりにしては度が過ぎるだろう」

「取材班が裏を取って、間違いに気づくかもしれませんよ」

「ふむ……それならそれでいいという思いもある」巻島は言ってから、苦笑を本田に向けた。

「別に、手加減したいわけじゃないけどな」

「分かってますよ。どうやろうと上司を嵌めるのに変わりはないんですからね」

巻島が言葉を返そうとするところを、本田が手で制した。

「いや、本当はこんなことやりたくないってことも分かってますよ」

本田に言われてしまうと、自分の本心ながら、やはりそれはきれい事であるように聞こえてしまう。それも違うという意味で軽く首を振ると、本田はまた、分かっているとばかりに目で笑いかけてくるのだった。

その後、巻島は部屋にこもったまま、津田と出前の中華を食べたり、明日以降の捜査の見通しを本田とすり合わせたりしながら、十一時までの時間を潰した。九時と十時に植草のほうから取調べの経過を尋ねる電話がかかってきたので、九時のときにはまだ膠着しているようだと答え、十時のときには速水に動揺が見られるとの報告が届いていると答えておいた。

十時半から始まった〔ニュースナイトアイズ〕は、川崎事件の続報に触れることなく番組が進んでいった。〔バッドマン〕が落とした手紙についても公式発表に踏み切っていないのだから、報道することは何もない。もちろん、この番組の取材班は都筑署に連行された窃盗犯の撮影もしてはいない。

十一時になったところで、巻島はチャンネルを第一テレビに切り替えた。

いつもと同じように始まった〔ニュースライブ〕のスタジオには、しかし、杉村未央子の姿がなかった。特にそれに関する説明のないままトップニュースが伝えられていく。

医療事故ニュースのあと、経済関連と国際会議のニュースが続いた。川崎事件が報道され

る気配はまだない。

「結構、慎重ですねえ」

一緒に見ている本田が画面に顔を向けたまま、不満そうに呟いた。

それからほどなく、CMに入ったところで電話が鳴った。取ってみると、やはり植草からだった。

〈ええと、その後、どうなってますか?〉

もはや口調からも焦れがにじんでいる。

「今、ちょっと確認してますので、こちらから折り返しかけ直します」

巻島も彼に呼応するように、臨場感を込めて答えておいた。

電話を切って〔ニュースナイトアイズ〕を確かめてみると、プロ野球ニュースの最中だった。スポーツニュースが終われば、残ったニュースを伝える枠がある。そこで川崎事件の重要人物が取調べを受けているという一報が伝えられるかどうか……トラップに嵌まっている者ならば、その動きが気になって仕方がないことだろう。

駄目を押すタイミングが来ていた。

自然に本田と目が合った。

巻島は湯呑みのお茶で喉を潤してから、満を持して受話器を手にした。県警本部の植草へ

つなげる。

「巻島です、先ほどはどうも」

〈いえ……〉

巻島が折り返してかけてきたことに何かの予感を得たのか、植草が緊張して構えている空気が受話器を通して洩れ伝わってきた。

「とりあえず報告します」

巻島は大きく息を吸い込み、続く言葉を発した。

「速水が落ちました」

＊

植草は自分一人だけが残った刑事総務課の部屋で、小さなテレビの前に椅子を持ってきていた。

未央子は十一時にスタートした〔ニュースライブ〕のスタジオ映像には映っていなかった。それもそのはず、彼女は最少人数の撮影班とともに都筑署の前で中継の機会を窺っているということだった。

取材記者やディレクターではなく、キャスターの未央子が中継に立つことで、よりスクープのインパクトが増すことになる。未央子自身が買って出たその演出に、彼女の意気込みが表れていた。

しかし、その未央子も、番組が始まる直前には植草に電話をかけてきて、弱気の虫がうごめいたとも取れるようなことをこぼしたのだった。

〈何となくおかしいのよ。うちの記者に署内の様子を見に行かせたんだけど、妙に静まり返ってるらしいの。捜査本部の人間が出張ってきてるって裏も取れないし、何だか不安になってくるわ〉

「おい、しっかりしろよ」植草は勇気づける役に回った。「速水が連行されるところを撮影班が見届けたんだろ？」

〈そうだけど……それも刑事四、五人で来て、あっさりしたものだったらしいのよ〉

「おいおい」植草は大げさに失笑した。「逃げて追っかけてなんてのを期待してたのか？」

〈そういうわけじゃないけど……〉

「逮捕なんてそんなもんだよ。心配すんな。俺は逐一、巻島自身から報告を受けてんだ。信用しろ。その場の空気になんて惑わされんな。下手に裏を取ろうとして、巻島に感づかれるほうがまずいぞ」

〈うん……〉

「完全にほかを出し抜いてるから、逆に気持ち悪いんだよ。そうだろ？」

〔ニュースライブ〕がスクープに定評のある番組だとはいっても、それは告発型のものがほとんどである。事件の事実報道に関するものは、やはり記者クラブの横並び取材にどっぷり浸かっているから、一社先行することには違和感が強いのだろう。

〈そうかもしれない〉未央子は軽い笑い声を混ぜて応じたが、すぐに元の口調へ戻った。〈でも、〔ナイトアイズ〕の影も見えないのよ。どういうことだろう？〉

「たぶん、巻島が自分の出演と引き換えにして、必要以上には騒がないでくれって頼んだんだよ。とにかくあいつは劇的に発表できるよう手順を考えてやってるから、何もかも思い通りに進めたいんだ」

〈そうか……そうかもね〉

「で、いつくらいになりそうなんだ？」

〈まだ決まってない。こっちはいつでも対応できるから、とりあえずは〔ナイトアイズ〕の出方を見ながらって思ってる〉

「何だ、抜かれてもいいのか？」

〈抜かれても数分よ。こっちは中継も入れるし、格好はつくわ〉

その態度は慎重というより弱腰のように思え、植草は心の中で舌打ちした。

「それは未央子の自由だけど、勝負時を逃して後悔するなよ。何かあったら、こっちからも携帯鳴らすから」

電話を切って、植草は実際に舌打ちをした。

確かに今日のスクープは、これまでのようにスタジオのコメンテーターに見解を述べさせたり、関係者筋から入手したとして捜査資料を公開するのとは訳が違う。犯人逮捕をほぼ約束する内容だけに、信用を第一義と考える番組にとってはいくら慎重過ぎても構わない話かもしれない。防犯カメラの映像のときのように巻島が認否を留保する態度に出れば、報道した側も気持ちが休まらないだろう。

しかし現実には、取調べに対して速水が動揺していると伝わってきているのだ。手応えがなければそんな報告は上がってこない。事態は秒読みに入っている。

〔ニュースライブ〕が始まり、植草は〔ニュースナイトアイズ〕と頻繁にチャンネルを切り替えながら、未央子が画面に映るのを待った。平常心はなくなっていた。未央子と緊張を共有している感覚があった。自分も興味本位で首を突っ込んでいるわけではない。未央子に自分の存在価値を懸けているのだ。

ニュースが次々と変わっても、未央子は画面に現れない。植草は焦れてしまい、思わずと

いう感じで電話に手を伸ばしていた。このままではいたずらに時間だけが過ぎていってしまう。何か未央子の背中を押すきっかけが欲しかった。

「ええと、その後、どうなってますか？」

巻島につながると、植草は訊いた。

〈今、ちょっと確認してますので、こちらから折り返しかけ直します〉

巻島がいつになく早口で答え、あっさりと電話が切れた。

何か、捜査本部で変化が起きている……植草は直感的にそう悟った。

確認しているとは何か？　かけ直すとはどういうことなのか？

神経がざわざわと波立ち始めて、一層落ち着かなくなった。この兆候を未央子に伝えようか……焦り気味にそう考えてから、頭を振って思いとどまった。とりあえずは巻島の電話を待つべきだ。

〔ニュースナイトアイズ〕はスポーツニュースに入っている。

〔ニュースライブ〕は舞台裏をよそに淡々とニュースを進めていく。

植草はそれらを眺めながら、じりじりとした時間を神経に刻んだ。

電話が鳴った。

受話器を鷲摑みにして耳に当てた。

「植草です」

〈巻島です。先ほどはどうも〉

「いえ」

植草は短く返して巻島の先を促した。

〈とりあえず報告します〉巻島が言った。〈速水が落ちました〉

「落ちましたか⁉」

植草は鼻息とともに言葉を吐いた。

〈少し前から容疑を認める供述を始めて、今もそれが続いてるようです〉

「そうですか」

〈取り急ぎ、その報告だけ……またのちほど、今後の予定をご相談したいと思います〉

「分かりました。とりあえずご苦労さんでした」

受話器を置く手がはっきりと震えていた。その手で今度は携帯電話を取り、リダイヤルで未央子につなげた。

〈もしもし〉未央子はすぐに出た。

「速水が落ちた！　速水が落ちた！」植草は興奮を隠さずに言った。

〈え⁉　本当？〉未央子も声のトーンを上げた。

「今、巻島から報告が来たんだ。容疑を認める供述を始めてるって」

〈本当ね⁉ 本当なのね⁉〉

「間違いない。まだ一分も経ってない情報だ」

〈分かったわ。中継準備に入るから切るわね。ありがとう〉

電話が切れると、植草は再びテレビを慌しく切り替えた。〔ニュースナイトアイズ〕ではスポーツコーナーが続いている。〔ニュースライブ〕はダイジェストニュースを何本か伝えると、そのままCMに入った。

〔ニュースナイトアイズ〕もスポーツコーナーが終わって、CMに入った。

〔ニュースライブ〕のCMが先に明けた。

井筒の取り澄ました顔が映し出される。

〈シリーズでお送りしております『公費の検証』、今夜は議員年金についてです〉

植草は舌打ちをして机を叩いた。〔ニュースナイトアイズ〕に切り替える。まだCMをやっていたので、今度はNHKにした。さらに、ほかの局でも速報スーパーが流れていないかどうか、順に切り替えていった。

まだ大丈夫だ。

〔ニュースナイトアイズ〕のCMが終わった。

天気予報のコーナーだ。

植草は息をついて、チャンネルを〈ニュースライブ〉に戻した。「公費の検証」とやらのVTRが流れている。五分くらいは続くのかもしれない。それまでに〈ニュースナイトアイズ〉の天気予報が終わる。巻島から一報が伝わっていれば、そこで速報が入ってしまうだろう。

植草はもう一度〈ニュースナイトアイズ〉を見ようと、リモコンに手をかけた。

と、そのとき、唐突に〈ニュースライブ〉のVTRが途切れた。

スタジオの映像に戻った。井筒が横を向いて誰かと打ち合わせている姿が一瞬映し出された。

井筒がカメラに向き直る。

〈VTRの途中ですが、川崎の男児連続殺害事件について大きな動きがあったようです。横浜市の都筑署にいる杉村キャスターと中継がつながっています。杉村さん？〉

「よしっ」植草はこぶしをぎゅっと握り締めた。

都筑署の玄関前でライトに照らし出された未央子が、画面に姿を見せた。胸元にピンマイクのついた横縞のシャツを着ていて、腕まくりしている。片手に原稿を持ち、もう一方でイヤフォンをつけた耳を押さえている。

〈はい、杉村です〉未央子が普段より高いトーンの声で話し始めた。〈たった今ですね、川崎の男児連続殺害事件につきまして、重大な情報が入ってきました。この都筑署で現在、窃盗の容疑で取調べを受けている男が、連続殺害事件についても容疑を認める供述を始めているということです。繰り返します。窃盗の容疑で逮捕され、現在都筑署で取調べ中の男が、川崎の男児連続殺害事件の容疑を認める供述をしているとのことです〉

〈杉村さん〉井筒の声も未央子に合わせて大きくなる。〈その男の身元など、入ってきている情報はありますか？〉

〈はい、公式発表はまだなんですが、関係者からの情報によりますと、男は横浜市都筑区大丸に住むリサイクルショップ店員、速水恒夫容疑者、三十八歳ということです。えー、本日午後六時五十分頃ですね、この速水容疑者は窃盗容疑が固まったとして自宅で逮捕されまして、その後、この都筑署で取調べが続いていました〉

画面には、捜査員に挟まれた速水がマンションから出てくる映像が流れた。

〈あ、これは逮捕されたときの様子ですか？〉

〈そうです。連行されていくところを撮影したものです〉

夕暮れ時である上に、速水が捜査員に抱えられるように歩いているので、容姿がはっきりと分かる映像ではない。しかし、世紀の殺人鬼が捕まったという事実を目に見える形で証明

していることの映像のインパクトは計り知れない。

未央子が事実関係を繰り返す間に、植草は〔ニュースナイトアイズ〕へチャンネルを合わせてみた。

〈……明日は世界が認める天才トランペッター、あの人がスタジオ生出演です〉

〈私も昔、学生時代にトランペットを吹いてたことがありましてね〉

〈え？　韮沢さんがですか？〉

〈ふふふ、まあ、肺活量ではいけると思ったんだけど、指の動きがついていかなかったね〉

〈韮沢さん、不器用そうですもんねえ〉

韮沢と早津が呑気に明日の予告などをしている。

こいつら、今、裏番組で何が起こっているのか知る由もないのだ……彼らが馬鹿面をさらしているように思えてきて、植草は腹の底から笑った。巻島を都合よく使おうとしながら、逆に体よく手なずけられてしまっている。まったく、人気番組、人気キャスターが口ほどでもない。

そのまま、〔ニュースナイトアイズ〕はエンディングを迎えた。

勝った。

植草はこの上なく痛快な気分になり、心の中で快哉を叫んだ。

〔ニュースライブ〕では、未央子が上気した顔で速水自供の一報を繰り返していた。〔ニュースナイトアイズ〕を見終わってこの番組に切り替えた視聴者には、さぞかし衝撃的に映ることだろう。

電話が鳴った。

取って束の間、ほかのデスクの電話も鳴り始めた。

植草がまず取ったのは、若宮捜査一課長からの電話だった。〔ニュースライブ〕の速報は本当かと訊いてきたので、そう聞いているとだけ答え、巻島が本部長に報告することになっているとも付け加えておいた。

次の電話を取っても、電話の音は鳴り止まなかった。

〈大日新聞の宮野《みやの》ですけどね、川崎の犯人が自供したっていうテレビニュースは本当なんですか⁉〉

無理もないが、相当に殺気立った声をしている。

「会見の予定が立てば、記者クラブにお伝えします」

〈予定っていつ⁉　朝刊に間に合うの⁉〉

「いや、そのへんはまだ何とも……申し訳ない、ほかにも電話が来てるんで、失礼」

公開捜査に関する〔ニュースナイトアイズ〕以外のマスコミへの対応は植草がこなしてい

たから、問い合わせもここに殺到するのだ。これは課員を何人か呼び戻さなければいけないなと思いながら、何本かの電話応対を適当にこなした。しかし、これではきりがないということがすぐに分かり、途中からは宮前署の捜査本部に直接確かめてくれと答えることにした。

〈もしもし、大日新聞の宮野ですけどね〉

何本目かの電話は先ほどと同じ大日新聞の記者からだった。

〈川崎の犯人が都筑署にいるってニュース、実際はどうなんですか、はっきりさせてくださいよ！〉苛立った口調でまくし立ててくる。

「申し訳ないですけど、宮前の捜査本部に確かめてもらったほうが早いし、詳しく聞けると思いますよ」

〈いやいや、捜査本部にも訊いてみたんですよ！〉記者はさらに声を大きくした。〈そしたら、そんな事実はないって言うんですよ！〉

植草は虚を衝かれながらも、必死に頭を働かせた。

この期に及んで、巻島はまだマスコミにシラを切るつもりなのか？

〔ニュースライブ〕に抜かれたのが気に食わないのか？しかし、いくら何でも事実ではないという答えは無理があるだろう。〔ニュースナイトアイズ〕への出演は速水の再逮捕が済んでから行い、そこで逮捕へのいきさつを披露して公開捜査を締める。それでいいではない

か。逆に言えば、それ以外にやりようがないと思えるのだが……。

何を企んでる？

「すいません。ちょっと問い合わせが殺到してまして、捜査本部との連絡に支障が出てるんで、情報の整理に少し時間がかかると思います」

文句を浴びせかけてくる電話を適当に受け流して切り、続けて似たような話の電話を何本か受けたところで、さすがに嫌気が差した。

植草は携帯電話を手にして、別室に移った。携帯電話のほうにも問い合わせらしき着信履歴が残っていた。何と本部長からもかかってきている。

巻島はまだ一報を本部長へ報告していないのか？

植草は苛立ちを抱えたまま、巻島に電話をかけた。放っておけばますます無用の混乱を招くことになる。これ以上、好きにさせておいていいわけがない。

巻島につながると、植草は半ば責め立てるように口を開いた。

「どこで嗅ぎつけたか知りませんけど、〔ニュースライブ〕が先ほどから速報を流してますよ。それで、ほかのマスコミからの問い合わせが、ここに殺到してるんです」

〈そうですか。こちらも同じです〉巻島がいつもと変わらぬ口調で返す。

「そちらでは、あれは事実ではないという答え方をしてるんですか？」

〈そうですね〉

人を食ったような巻島の言い方に、植草は苛立ちを募らせた。

「それは、まだ本部長への報告が済んでないからということですか？」

〈いえ、今、本部長からもここへ直接かかってきましたんで、その旨を話しておきました〉

「そうですか」本部長への報告が済んでいると聞いて、植草は若干声を和らげた。「本部長は喜んでおられましたか？」

〈いえ、特に喜んではおられませんが〉

その答えが意外であったということより、それをさも当然のように話す巻島の変人ぶりに植草は閉口した。

「そうですか……」本部長の機嫌などどうでもいいことだと考え直し、植草は目下の懸案事項へ話を変えた。「で、報告が終わったということなら、これから記者会見のセッティングに入るわけですね」

〈いえ、記者会見はしません〉

「しないんですか？　再逮捕してからということですか？　でも、今夜中に事実関係は明かしておくべきでしょう」

〈もう問い合わせのあったマスコミには、個別に答えておきましたから〉

「でも、自供は事実じゃないと答えてるわけですよね？　そのまま放っておくのは、いくら何でもまずいでしょう」

〈現に事実ではありませんから〉

また訳の分からないことを言いやがると思った。

「あのねえ、巻島さん……」

〈事実ではないんです〉巻島が冷ややかに繰り返した。

植草はその意味を理解するより先に、反射的な寒気を覚えた。巻島の口調の冷たさがもたらしたものだった。

「……どういうことですか？」

〈清水恒夫という男が窃盗容疑で都筑署に逮捕された……それが事実です〉

清水……？　意味が分からない。

少しの間を置き、巻島が低い声で続けた。

〈宮崎勤のアジトはなかったということです〉

一瞬、何の脈絡もない言葉に聞こえたそれは、数秒ののち、確かな意味を持って植草の思考に溶け込んだ。

「マジかよ……」

植草は呟き、あとは絶句した。

〈残念ですが……〉

巻島が言った。

いつしか、あれだけ鳴り続けていた課内の電話の音も聞こえなくなっていた。未央子から植草の携帯電話へ何度も着信があったが、植草はそれを取ることができなかった。放心の時間を過ぎると、憤怒の感情が立ち上ってきた。脱力していた身体が怒りでうずき始め、じっとしてはいられなくなった。

植草は徒手のままに県警本部を出てタクシーに飛び乗った。「宮前警察署へ」とだけ告げると、あとは外の景色に目をやることもなく、湧き上がる怒りをひたすらため込んだ。

よりによって上司の俺を嵌めやがるとは、いったい何様だ、あのやろう……。

宮前署に着いたのは、一時を回りかけた頃だった。署内は何事もなかったかのように、平時の静けさを保っていた。

植草は怒りに任せて階段を駆け上がり、巻島が使っている部屋を目指した。たどり着くと、すべてのエチケットを省いて、そのままドアを開けた。

「巻島っ！」

中は真っ暗だった。

帰りやがった！

植草は頭に血が上って、ドアを衝動的に蹴り飛ばした。

廊下を走り、同じフロアにあるV類班の部屋に首を突っ込んだ。

と、ラフな格好をした本田や津田ら数人の顔があった。

「おい、巻島はどうしたっ⁉」

「あれ、今、ちょうどお帰りになりましたが……」津田がのんびりとした調子で答える。

「外で会いませんでしたかな？」

植草はその部屋を出ると階段を下りて建物を飛び出し、署の駐車場側へ向かった。ライトがついている一台に巻島らしき人影を認めた。

「巻島！」

植草は声を上げながら、巻島のスカイラインの前に立ちはだかった。

ライトが消え、エンジンが止まった。

運転席のドアが開き、巻島が降りてきた。

巻島は無表情に植草を見ていた。

「お前、自分が何をやったか分かってんのか⁉」植草は眼を剥いて怒声をぶつけた。

対して巻島は、心持ち顔を伏せて、一つ吐息をついた。

「こうするしかなかったとは言いません」巻島は静かな口調で言った。「けれど、甘えてもらっても困る。あなたのやってることを大目に見ている余裕は、私にはないんです」

「何を偉そうな……」植草は興奮で声が震えた。「俺はなあ、俺は俺の考えで公開捜査を……」

「あなたの言い分はどうでもいいんです」巻島は冷ややかに言い捨てた。「あなたに非があると言うつもりもない。ただ、私にとっては邪魔なんです」

巻島は植草を見据えて言葉を継いだ。

「これは私の捜査なんです」

私の捜査だと？

「思い上がるなっ！」

巻島は首を振る。

「あなたは刑事の血を知らない。思い上がりではなく、正直に言ってるだけです。これは紛れもなく私の捜査です」

不意に理屈ではない言葉を投げかけられ、植草は返す言葉を見失った。

「遊び半分で茶々を入れてもらっては困る」

「あ、遊び半分じゃない……」植草は乾き切った喉から声を絞り出した。

「私とあなたで大きな違いがあるとすれば、私の取る行動はすべて事件を解決させたいがためであるということです。あなたは残念ながら、そちらを向いてはいない」

植草は呆然と巻島を見るだけしかできなくなっていた。怒りの火を強引に吹き消され、胸の中には煤《すす》ばんだような不透明感だけが残った。未央子の姿が脳裏に浮かび、もう顔を合わせることもできないのだなとぼんやり思った。

「安心してください」巻島は表情を変えずに続ける。「あなたは表面上、何の失態も犯してはいません。もちろん、誤報の責任は裏を取らなかった放送局にある。あなたの今後の職務にはまったく関係ないことですし、あなたの経歴にはいささかの傷もついていない。相変わらずあなたは順調な官僚であり続けるわけです」

皮肉か本音か脅しか、巻島の真意はまったく分からなかった。ただ植草は、その通りだなと力なく思い、最悪の事態ではないことに安堵を覚える気さえした。自分が攻撃的な気持ちを失い、目の前に立っている男に牙を抜かれてしまったことをはっきりと理解した。

もともと、この男と自分とでは、背負っているものが違うのかもしれない。才覚だけで勝負しようとしたのは無謀だったのかもしれない。

植草は目をつむって嘆息した。

「この捜査から手を引くことにします」

やっとのことでそんな言葉を口にした。

「賢明なご判断だと思います」

巻島は小さな声で言って、そのまま植草に一礼し、車に乗り込んだ。

巻島の車が走り去っていくのを、植草は虚ろに見送った。

「人を叩き過ぎちゃあ、いかんのです……」

振り返ると、津田が後ろ手を組んで佇んでいた。

「叩けば誰でも痛いんですよ……」

夜空を見ながら独り言のように言う。

「痛そうじゃないから痛くないんだろうと思ったら大間違いだ……それは単にその人が我慢してるだけですからな」

それだけ言って、ゆっくりと歩き去っていく津田を、植草はまた虚ろに見送った。

9

〔ニュースライブ〕が世紀の誤報について異例の謝罪を行った次の日、巻島は捜査の本格的な勝負に着手するべく、本田を呼び寄せて段取りを詰めた。

「いや、しかし面白いもんで、連中も今回ばかりは何も言ってきませんね」

本田の言う〝連中〟とは、捜査一課のうるさ型たちだ。

「植草課長の噂が流れて、彼らも肝を冷やしたみたいですよ。捜査官があんなふうに、実力行使に出てくるとは思ってなかったんでしょう。まあ、いい薬になりましたよ」

浮かれる話でもなく、巻島は聞き流した。

「掌紋のコピーは捜査員分、出来上がったか？」

「ええ。照合作業の講習も一応、昨日のうちに済ませました」

「一応」を強調して、本田がいたずらっぽく笑う。巻島は微苦笑で受けておいた。

「それから、ベージュの話ですけどね」本田は話を変えた。「これ、この前の一日署長をや

ったアイドルグループの……」そう言って、署内にもばらまかれた薬物撲滅キャンペーンのポストカードを巻島の前に置く。「この中の、この子の首に巻いてあるスカーフがほら、臙脂色じゃないですか。で、この一番右の子のスカーフはまあ、薄いピンクなんですけど、ショッキングピンクじゃないから、見ようによってはベージュと言えなくもない……ちょっと苦しいですけどね」

「いや」巻島は本田の観察眼に感心しながら、ポストカードを凝視してみた。「何人かに訊いてみたらどうだ？」

「一応、訊いてみたんですよ。『ベージュのスカーフの子は何ていう名前なんだ？』って言って若い連中にね。そしたら七人訊いて一人は『え、ベージュ？』って訊き返してきましたけど、あとの六人はこのピンクのスカーフの子の名前を答えたんですよ」

まじまじと見ているうちに、本田がピンクと言っているスカーフの色が立派なベージュに見えてきたので、巻島は思わず唸っていた。

「これは宮前管外の市民にも配っていいものなのか？」

「もしあれでしたら、ここの広報から所属事務所に断りを入れてもらいましょうか？」

「そうしてくれ」巻島は頷いて答えた。

希望的過ぎるのは承知だが、もしかしたら、勘と偶然に頼るしかない最後の懸けに一分の

根拠を宿らせることができるかもしれない……そんな気もした。

本田との打ち合わせが終わると、巻島は〔ニュースナイトアイズ〕の児玉に連絡を入れた。

〈〔ライブ〕のあれ、嵌められたっていう噂が出てますよ〉

児玉は探り気味の口調でそんなことを言ってきた。

「そうなんですか……」巻島は素知らぬ顔で応えておいた。

〈一昨日と昨日だけはうちの完敗でしたよ。一昨日の速報で二十六、昨日の謝罪で二十八……〔ライブ〕が叩き出した数字です。まあ、彼らにとっちゃあ嬉しくも何ともないでしょうけどね。皮肉なもんです〉

巻島はその話を無言で受け止めてから、用件を切り出した。

「実は勝手なお願いで申し訳ないんですが、もう一度だけ、番組に出演させて頂きたいと思ってるんです」

〈というと、何か新しい発表でも？〉

「ええ、一つはこのところマスコミのあちこちで上がっていた未確認情報について、捜査本部でも把握してるものがありますので、それを明らかにしたいと思ってます」

〈それは、具体的にはどんな……？〉

「〔バッドマン〕の手紙が見つかったということです」

〈ああ、その話はやはり本当だったんですか〉

「ええ、いろいろ重要な情報を含んでましたから、公表を控えてました」

それをすっぱ抜いた〔ニュースライブ〕が罠に嵌められ……という流れでも見えたのか、児玉は軽い唸り声を上げた。

「それから、県内のある地域を対象にして、市民の協力が必要な捜査を大がかりに始めたいと思いますので、それについての呼びかけをさせて頂きたいんです」

〈それはいわゆる聞き込みとかではないんですか?〉

「掌紋です。手のひらの紋が部分的に手紙から採取されてるんです。ですから、一定の地域の住民に、掌紋採取に応じてもらいたいと考えてるんです。捜査への利用はこの事件のみに限定したものですので、その旨を説明して住民の理解を得たいと考えてます」

〈それは前例のある手法なんですか?〉

「あります。ただ、今回は大がかりですから、告知をしておきたいんです」

〈そうですか……で、それがヒットすれば〔バッドマン〕逮捕というわけですね……分かりました。こちらで検討してみますけど、巻島さんの頭ではいつくらいを?〉

「できれば、ぜひ今日にでも」

＊

本部長室に入ってきた巻島は、もはや期するものを隠そうともしない開き直りの空気をまとっていた。曾根はそれを感じ取り、やはりそうかと心中に呟いた。

「お前が植草をパージしたのか？」

曾根はデスクの向こうに立つ巻島を見た。

「課長のご意思で、捜査から離れて頂きました」巻島が真面目くさった顔で答える。

「ふむ……どうやら、噂はそこそこの線を行ってるようだな」

曾根はデスクの引き出しから煙草を取り出して口にくわえた。ギャツビーの火をつけ、ゆっくりと紫煙を吐く。

「やってくれるじゃねえか。まさかお前がそんなことをするとはな。俺は、引き立ててやってくれと頼まなかったか？」

「彼が私の部下だったなら、違う方法を取ったかもしれません」

「思い上がるんじゃねえ！」

曾根は巻島を睨め上げた。

独特な雰囲気を持ちながらも、根っこの部分では物事の順序立てに従順な男だと理解していた。客観的に見て、植草にもコントロールできる程度の収まりを持っていると。これも巻島という男の意外性というわけか。しかし、もはや愉快の一言で受け止められる度は超している。

「お前はいつからそんなに偉くなった？　全能のつもりか？」

「思い上がるな……課長からも同じことを言われました」巻島は一瞬遠い目をしてから曾根を見た。「ですから、私も同じ言葉で応えたいと思います。つまり、この捜査は私の捜査であって、あなた方の捜査ではないということです」

「お前の捜査かどうかは俺が決めることだ」曾根はライターを握った手で巻島を指差した。「お前の捜査ではない。今日限りな」

巻島は小さく、しかしはっきりと首を振った。

「あなたが設定した期限にはまだ四日ある。それを破るつもりはありませんが、破らせるつもりもありません。私は最後の勝負を懸ける気でいるんですから、勝手に指揮権を奪うのはやめて頂きたい」

「馬鹿か！」曾根は嘲笑とともに一喝した。「そんな期限に意味なんぞない。俺が今日限りと言えば今日限りなんだ」

「人がせっかく守ろうとしている言《げん》を簡単に撤回してもらっては困りますね」心なしか、巻島の顔に険が浮かんだように見えた。「意味がないと言うのなら、私は解決まで居座りますよ」

「今日限りと言ったぞ」

「本部長……」

巻島は呼びかけておきながら、そのあとに言葉を矯《た》めるような間を持ってきた。巻島の顔色が次第に冷えていくのが曾根にも分かった。

巻島はわずかに首を傾けてから、ようやく次の言葉を発した。

「偽の〔バッドマン〕の手紙を出したのはあなたでしょう?」

曾根は無言で巻島の眼を見た。その瞳に揺れは見当たらない。植草では荷が重かったかと、ようやく得心する思いがした。

「あなたこそ全能のつもりですか?」

曾根は巻島に視線を留めたまま、背もたれに身体を預けて、ゆっくりと足を組んだ。

「誰もやらなければ、いずれはお前がやっただろうに」

「仮定の話はしません」

「卑怯だな」

「人に疑惑をかぶせるのが卑怯ではないと？」

「ほう……自分に捏造疑惑が降りかかったのが、そんなに許せなかったか？」

「私はああいう場に出る以上、最低限のマナーを自分に課していたつもりです」

「つまらん考えだな。小心者の自己満足に過ぎん。あれで本物の〔バッドマン〕が誘い出された。その結果がすべてだろう」

「いったん舞台が始まれば、演出家の出る幕はないんです。けれど、あなたは舞台の袖からしゃしゃり出てしまった」

曾根はギャツビーのふたを開閉してもてあそびながら、少しだけ沈黙を挿んだ。

「で、それを公にしようというわけか？」落ち着き払って訊く。

「あなた次第です。別に私の名誉を回復したいわけじゃない。私の捜査を邪魔しないでほしい……それだけです」

「しかし、証拠はない」

曾根は眼を細めて、巻島に挑発的な視線を送った。

「なかなか完全犯罪というものは難しいものでしてね」巻島が無感情に言う。「掌紋の小さいのが一つ採れてるんです」

巻島が余裕を見せている訳が分かり、曾根は内心で舌打ちをした。

「俺が掌紋を出すと思うか？」

「無理でしょうね」巻島はあっさりと首を振り、そんなことは問題ではないと言いたげに続ける。「でも実は本部長、その掌紋が今度の捜査に使われるんですよ」

意味が分からず、曾根は眉をひそめた。

「〔バッドマン〕の居住圏がおおよそ特定できました。そこの住民に片っぱしから掌紋を提出してもらうローラー作戦をやるつもりです。掌紋の登録はしない。希望があればその場で照合作業を済ませるというものです。そのとき、捜査員たちに渡されている掌紋は、最初に〈バッドマン〉のものだと判定された一通から採れたものというわけです」

「何……⁉」

「残念ながら、いわゆる本物の〔バッドマン〕の手紙からは、照合に使える指掌紋は採れませんでした。しかし、一方で居住圏は特定できた。そこでどうするか……いろいろ考えた結果、一つだけ紋が採れたとはったりを発表して、ローラーをかけることにしたんです」

馬鹿な……いくらローラーをかけたところで俺の紋と照合していたのでは、〔バッドマン〕は見つかりようがない。

何だ、このでたらめな作戦は？　五百人を動かして俺への当てつけか？　最後の最後になって、この舞台をドタバタ喜劇にでも変えるつもりか？

曾根はそう思いかけて、待てよと考え直した。もしかしたら、〈バッドマン〉にまでたどり着けるかもしれない、そういう可能性があるにはあるのだと分かった。少なくとも不審者のリストを作り直すことはできる。それが数人、数十人単位まで絞り込めるものであったら、成果は大きい。

「なるほど……お前が〈バッドマン〉複数犯説を持ち出したのは、この策を見据えてのことだったわけだな」

巻島は涼しい顔をして曾根から視線を外した。

「テレビカメラを前にしてあからさまな嘘をつくにはどうも抵抗がありましてね。でも、指紋か掌紋は手紙から採れたことにしないといけない。ですから、最初の手紙が〈バッドマン〉の共犯者であるという可能性に触れておいたわけです。真相がどうであろうと、可能性への言及は嘘に当たらない。それが成り立てば、最初の手紙の掌紋を〈バッドマン〉の掌紋だと言っても、間違いではないという理屈です」

「植草をパージしたのも、結局はそのはったりをつかれたくなかったからか？」

「やるからには邪魔されたくなかったということです」

「どちらにしろ、ただの自己弁護だな。お前だけに通用する話だ。ニヒリストの面をしながら、まだまだ〈ヤングマン〉の青さが残ってるな」

「この仕事というのは、何も考えずに割り切ってやるには限界がありましてね。いろんな模索がありますよ」

「その歳になってまだ、そんなにきれいでいたいか？　現実のお前はずいぶん薄汚れてるぞ」

「私はただ、最善の手で事件を解決したいだけです」

そう言う巻島の顔をじっと見てから、曾根は返した。

「俺はどんな手でもいいから事件を解決したいね」

「立場の違いでしょう」巻島は小さく肩をすくめた。

「叩き上げの自負か？」

「方向性に変わりはないということです」

「ふむ……」曾根は苦笑混じりに唸って、自分に頷いた。「まあいい。誰の掌紋だろうが勝手に使えばいい。まさに、どんな〝手〟でもいいということだ」

「そうおっしゃると思いました」巻島が、自分の表情を隠すように目を伏せて言った。

「嵌められて仕方なく言ってるわけじゃない」

そう言って曾根が失笑してみせると、巻島も失笑で返してきた。

＊

その夜、巻島は久し振りに〔ニュースナイトアイズ〕のスタジオに足を踏み入れた。スーツはいつものバーバリーではなく、重みのある黒のダブルを児玉に頼んで局から借りた。シャツもネクタイも渋い色で統一し、髪も整髪剤でとかして光沢を入れた。

顔合わせをした早津は、一瞬ぎょっとしたように巻島を見ていた。ただならぬ雰囲気を感じ取ったらしく、気さくな言葉を向けてくることもなかった。韮沢のほうは終始興味のなさそうな素振りをしていた。

番組が始まり、巻島の出演が早津の口から告知された。そして、数本のニュースののちに、巻島の出番となった。

「番組冒頭でお知らせしたように、本日は川崎の男児連続殺害事件に関しまして、巻島特別捜査官にお越し頂いています」

どうやら進行も早津が受け持つようだった。

「前回のご出演から少し日にちが空きましたが、今日お越しになられたのは、やはり〔バッドマン〕からの手紙が、ということですね？」

「ええ、実は一部でもすでに報道されていますが、新しい手紙が発見されておりまして、捜査本部ではこれが〔バッドマン〕本人のものであることを確認しています」

巻島の言葉とともに、早津がフリップを掲げた。ところどころインクのにじんだ文面が拡大コピーされている。

「発見されたということは、どういうことなんですか?」

「道に落ちていたということです。ちょうど十日ほど前に風の強い日があったんですが、おそらくそのときにかばんやポケットなどから落として、そのまま飛ばされたのではないかと見ています」

「落ちていた場所というのは、どのあたりなんでしょうか?」

「これについてはとりあえずのところ、横浜市の北部とだけ申し上げておきたいと思います」

「この文面を見ますと、相変わらず身勝手な主張がつらつらと並んでいますが?」

「まあそうなんですが、今回については我々、特に文面の検討はしておりません」

「というと?」

「ええ……今回この手紙に関して重要なことは、その発見場所でして、我々は〔バッドマン〕が発見場所周辺で生活をしている可能性が非常に高いと読んでいます」

「周辺というのは具体的に言って、どれくらいまで絞り込めるわけですか？」
「半径にして一キロ足らずです。その中で〔バッドマン〕が生活していると確信していま
す」
「一キロ足らずですか」早津が感嘆してみせる。「それは捜査の進展につながりますね」
「大きいです、これは」
「しかし、その後は〔バッドマン〕からの手紙が届いていませんよね？」
「おそらく、これを落としたことで捜査の手が近づくのを警戒しているんでしょう」
「また手紙の催促をなさるおつもりはないんですか？」
「もう必要ありません。我々は十分な手がかりを手に入れましたから、次の段階へ捜査を進
めるだけです」
「具体的に何か、今後の予定を発表できることがあるともお聞きしていますが？」
「はい。このほかに、まだ公表していなかったんですが、大きな手がかりがあります。とい
うのは、これまでに届いた〔バッドマン〕の手紙から一つの掌紋が採れているということで
す。掌紋は皆さんにはあまり馴染みがないかもしれませんが、手のひらの皮膚に付いている
紋様のことで、指紋と同じように犯人を突き止める上で重要な証拠になり得るものです。犯
人側にとっても、指紋の付着には注意しても、掌紋はうっかり付けてしまうことがあるわけ

です。今回も、文字を書くときに紙と接するこのあたりと見られる掌紋が部分的に採取できました。部分的とは言っても、捜査の手がかりとしては十分なものです」

巻島は自分の手のひらを示して説明したあと、早津が頷くのを待ってから話を続けた。

「それで、これらの手がかりをもとに、新たな捜査計画を立てています」

横浜市北部の一部地域を対象に、捜査員たちがそこに居住する男性の掌紋提供を要請して回ること、それはこの捜査限りの資料とするものであることを巻島は説明した。

「もちろんこれは強制できるものではなく、あくまで住民の方々の任意によって協力して頂くものですが、大事な捜査ですので、ぜひご理解、ご賛同を頂きたいと思います。どうしても捜査資料とされることに抵抗があるという場合には、その場で捜査員が照合作業を済ませることもできますので、ご希望をお申し付けください」

「これはどの程度の年代を対象にするものなんですか？」

「中学生以上で外に出歩くことができる程度の健康を有していらっしゃる方ならば対象になると考えています」

「中学生以上？　ということは中学生も含まれるということですね？」早津が眉を寄せて、確認するように訊く。

「そういうことです。〔バッドマン〕が未成年者ではないという証拠は挙がっていませんの

で」

「そうするとですね」コメンテーターの杉山が口を挿む。「たまたまその区域に生活しているというだけで、男子中学生、男子高校生までが捜査の対象にされるということになるわけですか？」

デリケートな年代の少年たちに相応しい捜査手法なのかと言いたいらしいが、巻島は取り合わなかった。

「少年少女であっても事件への関係性が否定できなければ、指掌紋の提供を要請することは、どんな捜査でもあり得ます。今回はその範囲が大きく、漠然としているだけのことです。それに、掌紋採取は短時間で簡単に済みますので、アリバイ等の聴取よりはるかに抵抗が少なく、協力してもらいやすい作業だと考えています」

「はい……」早津は戸惑いを残したような中途半端な相槌を打ったあと、探るような視線を巻島に送ってきた。「かなり大がかりな捜査になるようですけど、成果は期待できるんでしょうか？」

「成果については、ほとんど確信に近い自信を持っています」巻島は心持ち声を張った。

「この捜査は終局に入りました。おそらく我々は、一年にわたるこの捜査に間もなく終止符を打てるでしょう。それは皆さんにお約束したいと思います。言い換えれば、それだけの力

を今度のローラー作戦に傾注するということです」

「なるほど……分かりました」

そう応えて、早津は進行の確認をするように手元へ視線を落とした。

「最後に一ついいですか？」巻島は早津の注意を引き戻した。「〔バッドマン〕に対してメッセージを送らせてください」

「あ、どうぞ」早津が気圧されたような口振りで促した。

巻島は一つ頷いてから、テーブルに肘をついて身を乗り出した。そして、赤ランプのついた正面カメラを睨め上げるように見た。

「〔バッドマン〕に告ぐ」

意識的に殺気を発散させた。

「お前は包囲された」

低い声でゆっくりと呼びかける。

「多少時間はかかったが、我々はようやくお前を追い詰めた。逮捕はもう時間の問題だ。逃げようと思うな。失踪した人間は真っ先にマークする。今夜は震えて眠れ」

光を吸うカメラレンズに向かって、巻島は意識を没入させていく。レンズの奥に〔バッドマン〕の瞳が小さく揺れているのが見える気がした。

「手紙を落とした失態を悔やんでも遅い。余興は終わった。これは正義をまっとうする捜査であり、私はその担い手だ。お前は卑劣な凶悪犯であり、徹底的に裁かれるべき人間だ。それをわきまえなかったお前の甘さが致命的だったと言っておく。正義は必ずお前をねじ伏せる。いつかは分からない。おそらく正義は突然、お前の目の前に現れるだろう。首を洗ってそのときを待っていろ。以上だ」

異様なほどの静けさがそのあとに続いた。早津も表情を強張らせたまま、モニターに目を留めて動こうとしなかった。

渋い唸り声で沈黙を破ったのは韮沢だった。

「正義の……担い手ですか……」ゆっくりとした口調とともに、問いかけるような冷眼が巻島に向けられた。

嫌らしい言い方だと思いながら、巻島は表情を変えなかった。「その自負はあります」

韮沢は浮かない顔でもう一度唸った。

「私も正義を信条に、長年ジャーナリズムの仕事をしていますが、この公開捜査についてはそれに恥じない内容のものがお送りできているかどうか、今一つ自信が持てません。正義にはあまり似つかわしくないようなけれんが目について、どうも釈然としないものが残る気もします……なかなか難しい問題ですね……」

最後のほうは独り言のように言って、韮沢はCM入りを告げた。

巻島は、番組を借りた以上、この程度の苦言は黙って受けておくべきだろうと思うことにした。

「どうも、貴重なお時間を頂きまして、ありがとうございました」

韮沢たちに一礼して席を立つ。

「あれだけ見得を切ったら、結果を出さないわけにはいきませんよ」韮沢が背中で言う。

「分かってます」巻島は応える。

韮沢はゆっくりと首を巡らせて巻島に横顔を向けた。

「もういい加減、さっさととっ捕まえなさいや」素の口調になって言う。

早津の顔が和らいだのも視界に入り、巻島は微苦笑して頷いた。そして彼らに背中を向け、これが最後になるかもしれないと思いながら、目映《まばゆ》い光に照らされたスタジオを出た。

翌朝八時半、巻島は幹部会議を招集し、ローラー作戦についての最終確認を行った。その内容については各幹部らが監督している現場捜査員に伝えられ、現場捜査員はその方針のもとに受け持ち地区の各戸を一つ一つ潰して回ることになる。

ほとんどの現場捜査員に昨日一日、休みを取らせてあった。その捜査員らにもう一度集中力を取り戻させ、活を与えた上で現場に送り出してほしいと、幹部たちには伝えた。本田の言う通り、参席者の中で露骨に巻島への敵意を見せる者はいなくなった。この作戦に捜査本部の命運が懸かっているのは肌で感じていることだろう。ならば騙されたと思ってやってみるしかないというのが、彼らの偽らざる気持ちかもしれない。

V類班がふるいにかけた情報の中から、対象地域の近くで、第一の事件が起こる少し前、「カブト虫は欲しくないか」と見知らぬ男に声をかけられて、危うくどこかへ連れていかれそうになったという男の子が存在していたことも判明した。そんなことも少なからぬ後押しとなり、捜査本部を挙げて新しい作戦に取り組もうという流れは固まった。

午前十時を前にして、二人一組、計二百余組の現場捜査員が鶴蒔橋南部の対象地域に向けて解き放たれた。戻りは午後十時以降。土日両日ですべての世帯を一気に潰す予定だ。中でも初日の今日は、鶴蒔橋の利用度が高いと思われる重点地域、約五千世帯が対象となっている。

「ご苦労さん」

専用別室に陣取った巻島は、状況報告に来た本田をねぎらい、一息つくようにして両手を頭の後ろに組んだ。

「あとは結果を待つだけですね」

本田の言う通り、やることはやったという思いだった。

「抗議の電話はあったか？」

「あります、あります」本田はあっけらかんと言った。「昨日の夜から大盛況ですよ」

「どんなのだ？」

「まあ、言ってしまえば、巻島ごとき胡散くさいやつが厚かましくも正義面なんかするんじゃないって意見ですよ。ちゃんちゃらおかしいとか不愉快だとか、言いたいことを言ってるみたいですよ」本田はそう言って下唇を突き出し、おどけるようにむくれてみせた。「あとは、協力を求めるならもっと謙虚になれとか、誰が協力なんかしてやるかとか、そんな声も集まってるらしいですね」

本田は何かを包み隠すような性格ではないので、正直な報告が聞ける。巻島は口元に苦い笑みをにじませた。

韮沢に嫌味を言われるまでもなく、視聴者からの批判を受けるまでもなく、自分が大上段に構えて正義の人間を気取ることなどおこがましいのは承知している。

要は世間がどう感じようが、それは二の次の問題なのだった。津田が言っていたように、ある種、世間を敵に回すくらいのふてぶてしさを見せなければならなかった。その意味では、

こういう反応が出てきていることからしても、昨夜のテレビ出演はまずまずの出来だったと言えるのではないか。

［バッドマン］は手紙を落としたことで、あっけなく闇に引っ込んだ。根が臆病な人間だ。巻島にはその確信がある。そういう人間に、昨夜は目一杯プレッシャーをかけてやった。

相手は大海の一尾。捕るのは難しい。仕掛けも何ら高級なものではない。それでも精一杯の態勢は整えた。首尾は上々だと信じたい。

二日で結果が出るかどうかは分からないが、今日だけを見ても長い一日となりそうだった。座して待つだけの身は決して楽しいものではない。

じわじわとした不安と焦燥に肌をひりつかせながら、巻島は組んだ両手をそっと机の上に落ち着けた。

＊

「こんちはぁ、警察のほうから来たんですけどぉ」

小川かつおは、大きなソテツの木が塀から覗いている稲垣《いながき》家の門前に立つと、インターフォン越しに呼びかけた。

〈警察のほうって?〉女性の声が不審がるように聞き返してきた。

「てか警察ですよ、警察」

そう答えると住人は納得したのか、インターフォンの切れる音がした。

「警察のほうじゃ怪しいセールスですよ」

小川の横に突っ立っている清野《きよの》という相棒が片頬を歪めて言った。瀬谷《せや》署の刑事課で普段は総務的な仕事をしている内勤の警察官だ。五百人態勢ともなると、現場の経験が乏しい人間をもかき集めてきている。年齢も小川より三つ下なので、とりあえず小川が捜査のお手本を見せる格好となっている。

少しして玄関のドアが開き、おばさんパーマをかけた五十代の女性が出てきた。

「お忙しいとこすいませんねえ」小川は身分証を掲げて、へらへらと愛想笑いをしてみせた。

「今日はちょっとこのへんを回らせてもらってるもんで」

「はあ……」女性は警戒するような眼つきで小川と清野を見ている。

「昨日の〔ニュースナイトアイズ〕は見てませんか?」

「いや……」彼女には唐突な話だったらしく、反応はつれなかった。「あんまりニュースは見ないんですけど」

結構、こういう人も多いのだ。

仕方なく、小川は訪問の趣旨を説明した。

「……で、ここのおうち、男の方はどなたがいらっしゃるんですかねえ？」

所轄署から借りている巡回連絡カードと照らし合わせて訊いてみる。

「主人だけです。息子は結婚して外に出ていきましたから」

三年前に結婚した息子は練馬に住んでいて、今は盆と正月くらいしか帰ってこないという。対象から外してもよさそうだった。

「ご主人はいらっしゃいますかねえ？」

いると言うので呼んでもらった。玄関に入って待っていると、すぐに頭のてっぺんがはげたおじさんが出てきた。

「ああ、昨日巻島って人が言ってたやつでしょ。へえ、このあたりを回ってんだ。やっぱりなあ。誤報騒ぎのあったやつもこの近くだったから、もしかしたらとは思ってたんだよな」

稲垣は意外に喋りが軽かった。小さな会社の経営者なのだという。

「え、押すの？　押したら俺が〔バッドマン〕だってこと、ばれちゃうじゃん」

そんなことをおどけて言いつつも、簡単に掌紋の提供に応じてくれた。

「それ、ここで照合できるんでしょ？」稲垣は清野の差し出したウエットティッシュで手を拭きながら言った。「巻島さんが言ってたじゃない」

「ああ、できますよ。そうしましょうか？」

「そうしてくんない？　そのまま持ってかれるのもあんまり気持ちよくないしさ、第一、俺が落ちぶれたとき、安心して泥棒になれないじゃない」

「ですよねえ」

小川は適当に相手をしながらルーペを取り出し、捜査員に配布されている掌紋のコピーと今押してもらった掌紋とを見比べた。筋の切れ目やつなぎ目といった何箇所かの特徴点が一致するかどうかを確かめることになっている。とはいうものの、二時間程度の臨時講習を受けただけで目の慣れた鑑識課員のようにこなせるほど簡単な作業でもない。「ウォーリーをさがせ！」は得意な小川であるが、無数に刻まれた筋を見分ける難易度はもちろんその比ではない。はっきり言って、真面目に見ているると目がおかしくなってくる。

それに、今一つ照合に身が入らない理由はほかにもある。どこから出た話か知らないが、この掌紋は〔バッドマン〕のものではないという噂が最初から広まっているのだ。このローラー作戦における最重要の報告対象は、協力を拒否した人物や何度訪れても不在だった人物、あるいは掌紋がひどい汗でにじむなど挙動に不審な点が見られる人物とするとの捜査方針が立っているだけに、あながちその噂も馬鹿にはできない話なのである。
二、三分唸りながら眺めたあと、とりあえず清野にも渡してみたが、彼もじっと見比べた

のち、結局はかぶりを振った。

「どうもありがとうございました」

小川はお礼を言って、かばんから〔マイヒメ〕のポストカードを出した。

「これいりますか？」

後ろで見ていた稲垣夫人が手を振る。

「ああ、いらない、いらない。ごみになるだけだから」

「ですよねえ」

ポストカードは枚数が足りないので、節約して使うように言われている。小川はさっさとそれを仕舞った。

「そういえば、前に泉公園あたりでちっちゃな子供が誰かに生卵を投げつけられたって話、聞いたことあったわね」

整理してみると、この周辺に関するそのような情報提供がいくつか集まっているらしい。

「あれも〔バッドマン〕の仕業だったのかしら？」

「かもしれませんねえ」

「まあ怖い」そう言って、稲垣夫人は大げさに顔を歪めた。

「しかし、おたくら、こうやって全部の家を回るの？　大変だねえ」稲垣が腕を組んで、同

情的な口振りになった。

「ええ、実際、大変なんですよぉ」

「あんた、刑事ってタイプじゃないもんねえ」

はっきり言われて、小川は頭をかいた。

「そうなんですよぉ。いつクビになるかハラハラしてるんですよねえ」

「クビになったらお父さんが雇ってあげるわよ」稲垣夫人が冗談混じりに言う。

「いやあ、駄目だね。あんたみたいなのは使えないよ。民間は民間で厳しいんだから。今の仕事にしがみついてるのが一番だよ」

「そうですよねえ」

「うん、頑張って」

妙な具合に励まされたところで、小川たちは再度礼を言って稲垣家を出た。

「まあ、あんなふうに打ち解けて話すのも、一つのやり方なんだよねえ」

取り繕って清野に言うと、清野からは冷たい視線が返ってきた。

「何か馬鹿にされてるように見えましたけど」

「いやいや……」

小川は笑ってごまかし、稲垣家の隣にあるアパートに回った。一階から当たっていくと、

左端と真ん中の二部屋は留守だった。右端の部屋に向かう。

「こんちはぁ、警察でぇす」

呼びながらドアをノックする。巡回連絡カードで確認する限り、田坂《たさか》なる人間が住んでいるはずだった。

何度かドアを叩くと、しかめっ面をした四十代らしき男がぼさぼさの髪をかきながら出てきた。

「何だよ？」

「寝てましたか？」

「夜勤明けなんだよ。寝入りばなだぞ」

「ああ、すいませんねえ。お時間取らせませんから、ちょっといいですか？」

小川が説明を始めたのも束の間、田坂は鬱陶しそうに唸り声を上げて、それをさえぎった。

「昨日、テレビでやってたやつだろ。事務所で見たよ」

「そうですか。で……」

「やだね。何でそんなのに協力しなきゃいけねえんだよ。指紋だか掌紋だか知らねえけど、真っ当に生きてる人間からそんなの採ろうとすんなよ。胸くそ悪い」

「まあ、そうなんですけどねえ」

「だいたい、あの巻島ってすかしたやろうも気に食わねえんだよ。いかにも自信家でございって面しやがって、どう見ても世の中なめてるだろ、あいつ」

「はあ……」

「はあじゃねえよ。見えるだろうよ」

「てか、それはそれとして、ここは一つご協力を……」

「ごめんだって言ってんだろ」田坂は眼を据えてすごんできた。「同じこと言わせんじゃねえよ。俺は車の運転だって無事故無違反なんだよ。どうしても欲しかったら、巻島が菓子折り持って取りに来いよ」

「ですよねえ」

小川は尻尾を巻いて引き退がった。こういう仕事をしてはいるが、気の荒い人間はどうも苦手なのだ。

ドアが閉まって、小川はほっと息をついた。とはいえ、言われっぱなしでは面白くないので、心証的には何もないのだが、多少の悪意を込めて不審者リストに田坂の名を記してやることにした。

「あの……」清野が情けないものを見るような眼つきをして言う。「次から俺がやりましょうか？」

「そうする？」

小川は顔を引きつらせて頷いた。

＊

この日、巻島は夕方近くまで誰とも口を利くことなく、じっとデスクを前にして座っていた。決裁が必要な書類に目を通すこともせず、ただひたすら何かの報告が上がってくるのを待っていた。

昼は園子に作ってもらった弁当を一人で黙々と食べ、部屋の外に出たのは小用のための一度きりだった。内勤の者が二度ほどお茶やコーヒーを運んできてくれたが、そのときも軽く頷いて労をねぎらっただけだった。本田も午前中の報告以来、意味もなく顔を見せに来ることはしなかった。

巻島は自分で作ったこの部屋の静寂に、言いようのない重苦しさを感じていた。しかし、窓を開けて風を入れることもしなければ、じっとしていられない衝動に任せて部屋の外を歩き回ることもしなかった。願をかけるつもりでもないのだが、巻島は我慢の二字を胸に刻んで、苦痛とも言える時間を一秒残らず受け入れることにした。そうしていないと、何か大事

なものが自分の手をすり抜けてしまうような気がするのだった。

部屋の中で動いているのは壁の掛け時計だけだ。普段は意識しない秒針の音がはっきりと耳に刻みつけられる。

時刻は四時を回った。四時か……と心に呟き、まだまだ今日という日は長いと思い直した。夜のほうがローラー作戦もはかどるだろう。そして、夜半になれば誰かが息を呑むような報告を持って帰ってくるかもしれない。

そして、それからさらに数分が経ったときだった。

デスクの片隅に置いてあった携帯電話が震えた。

液晶には「自宅」と表示されている。

自宅。

巻島は今朝、淡々と弁当を用意していた園子の顔を思い浮かべ、少し怪訝に感じた。携帯電話とはいえ、夜にもならないうちから園子が電話をかけてくることは、最近では記憶にならなかった。六年前、いずみの病状が安定して以来はない。

「どうした?」

携帯電話を取った巻島は、思わずそんな問いかけから口にしていた。

〈お父さん……今、大丈夫?〉園子の押し殺したような早口の声が届いた。

「ああ」巻島は答える。

〈今、いずみから電話があってね……〉園子はため息のようなものを挿んでから続けた。

〈昼頃から公園で遊んでたはずの一平がいなくなっちゃったって言ってるんだけど〉

巻島は胃のあたりがぎゅっと重くなるのを感じた。

「いなくなったって、どういうことだ？」

そう言いながら、いずみが連絡してくるということは、よほどのことなのだろうとも思っていた。

〈うん……それが結構動揺してるみたいだから、とにかく行ってみようかと思って〉

「川野君は？」

〈また出張なのよ。大阪だから、呼べば今日中に帰ってくるとは思うけど〉

「そうか……じゃあ、急いで行ってやってくれ。それから詳しい話を聞いて、捜し足りないと思ったら捜してやってくれ」

〈うん……それでね……〉

「何だ？」

〈昨日の夜、言わなかったんだけど……お父さんが帰ってくる前に変な電話があって〉

「電話？　また無言か？」

何かの関連性があるかもしれないと思って、園子は打ち明ける気になっているのだろう。

「何だ?」

巻島は先を促した。

〈うぅん……その……〉

〈『ドブネズミ』って……『明日を楽しみにしてろ』って……作ったような声で〉

胃の重みがさらに増し、鉛を呑んだような息苦しさが募った。

「そうか……分かった」

巻島は電話を切って、ため息をついた。

まだ何かが起きたと決まったわけではない。

けれど……。

自分の胸の内を丹念に探れば、やはり起きたかとの思いに行き当たる。

園子やいずみの周囲で何か不愉快なことがあったらしいと分かっていて、しかし、結局それについて何も対応せず、一過性のものだろうとやり過ごしていた自分の甘さを頭のどこかで冷静に自覚していた。

さらに言えば、自分や自分の家族もいずれはただで済まないだろうというような、自分がしてきたことの因果を自虐的に受け止めようとしていた自覚もなくはなかった。

ただ、いずみの心痛を想像すると、巻島は胸が締めつけられる思いがした。

こんなときに……。

こんなときだからこそなのか……？

湿気を含んだような重い時間が過ぎていった。

三十分ほどが経って、巻島の携帯電話が着信を知らせた。

園子か。早いな。そう思い、液晶を見る。

非通知と出ている。

巻島は反射的に息を詰め、開いた携帯電話を耳に当てた。

〈巻島か……？〉

ボイスチェンジャーで人工的に低くなった声が巻島の耳に忍び込んできた。

「誰だ？」巻島はかすれた声で訊いた。

〈お前は正義の担い手か？〉

巻島の問いを無視して、相手は抑揚のない声を発する。

〈違うな……ただのドブネズミだろう〉

巻島が黙っていると、不気味な沈黙が出来上がった。無音の向こうに、相手の生々しい存在感を感じる。

数秒後、沈黙を破って相手が言った。

〈孫を預かった……〉

何の感情も汲み取れない声だった。

〈今から新宿西口、小田急百貨店前に来い。お前一人で来ることが条件だ〉

「一平は……」

無事か……そう訊く間もなく、電話は切れた。

巻島は携帯電話を握り締めたまま、詰めていた息を解き放って荒い深呼吸を繰り返した。

条件は俺が来ることだけか……電話の声を頭で反芻しながら、講堂に詰めている本田を呼んだ。

「ちょっと出かける用事ができたから、留守を頼む」

顔を出した本田には、そうとだけ伝えた。

「どうしました?」不穏な空気を察したのか、本田が訊く。

巻島はただ首を振り、上着に袖を通した。今ここで誘拐事案の発生を告げるという一歩には踏み込めなかった。自分の問題であるとの意識がその選択を捨てさせていた。

携帯電話を上着の内ポケットに入れる。

新宿駅西口なら電車のほうがいいか。

「駅まで誰か頼む」

「あ、じゃあすぐに手配しますけど……かばんは？」

巻島はそれにも首を振り、部屋を出た。

宮前平《みやまえだいら》駅までの車の中で、巻島は園子からの電話を受けた。

〈公園で遊んでるところを、男の人に無理やり連れていかれて、車に乗せられたらしいの。ほかの子供が見てたんですって〉

園子は心労の色を口調に忍ばせ、いずみから聞いたことを巻島に話した。

「分かった。でも、大丈夫だ」巻島は感情を出さないことで園子を勇気づけようとした。

「どこに誰といるかは俺が知ってるから、いずみには心配するなと言ってくれ」

自分のせいで申し訳ないという思いは心の内だけにとどめておいた。

駅に着き、田園都市線の渋谷方面行き電車に乗り込んだ。電車での移動は久し振りだった。気にしている状況ではないのだが、周囲の視線が自分に集まるのを嫌でも意識させられる。溝の口で乗り換えた急行電車ではさらに乗客の密度が増し、どうにも所在のない時間が続いた。

〔ワシ〕……。

そのシルエットを意識して、吊り革を持つ手がじわりと汗ばむ。

もちろん、巻島の中であの事件は終わっていない。有賀が死のうと〔ワシ〕は巻島の中で生き続けているし、健児少年は巻島の中で死に続けている。

そして、図らずも自分の存在があの事件を風化させないでいるのだとも気づかされる。巻島がテレビで姿をさらしたことにより、六年前の事件が世間の眼前に引き戻された。有賀の自殺も自分の存在が引き金だと思われた。しかし、今また同じように、自分の存在に負の反応を示す何かが、ヴェールを脱いで六年の沈黙を破ろうとしている。

渋谷で山手線に乗り換え、新宿で降りる。人混みを縫って駅構内を抜けた。

六年前のあのときと同じ場所、小田急百貨店前にたどり着いた。

巻島の前には、足早に行き交う雑多な人々の姿があった。その足音、話し声、車の音だけでなく、人波が動く光景そのものが目に訴える喧騒になっている。

時計は五時半を回っていた。

ここに誰が来る？　何がある？

巻島は棒立ちになってあたりを見渡す。

とたんに歩を緩めた若い男と目が合った。探るようなその眼つきに、巻島は心拍が速まった。

しかし、その男は巻島に目を留めたまま、立ち止まらずに行き過ぎていく。

違うのか？

視線を移すと、今度は背の高い二十代の女と目が合った。その近くにいる学生風のカップルもこちらを見ている。

巻島はようやくそれらが、電車の中と同じような、テレビで見た人間がそこにいるという好奇の目であることに気づいた。

巻島を見る目が右から左へ、左から右へと絶え間なく流れていく。

この雑踏の中に巻島一人、溶け込めていなかった。異物である自分を意識して、巻島は早くも人酔いに襲われた。

急に気圧が下がって鼓膜が張ったように、街頭の音が曖昧になった。足元に力が入らず、頭の中は熱にあたったように冴えない。

巻島は喘ぐように息をしていた。

毒が回ったドブネズミの悶死か……。

冷静になれ……そう自分に言い聞かせて、頭を振る。閉じたまぶたを指で押す。腰を折って膝に手をつき、ゆっくりと呼吸を整える。

捉えどころのない恐怖心が神経を這い上がってくる。時間が経つにつれ、そこに焦燥感も混ざり込んできた。

見えない。

この雑踏のどこかにいるのではないのか?

俺は一人だ。早く出てこい。

何も起きない。

こうやっていたずらに俺を待たせてどうする気だ。俺が苦しむのを楽しんで、最後に一平をどうするつもりだ?

ふと、近くで老婦人が巻島の顔から足元までをじろじろ見ているのに気づいた。ハンドバッグを手にして、身なりがいい。すぐ隣まで近づいてきて、巻島を見上げる。

「巻島さん?」老婦人は笑みとともに声をかけてきた。「巻島さんでしょ?」

一見して、知り合いではなかった。つまり、彼女もテレビを通して巻島を知っているということだ。

「お仕事中なのかしら?」

巻島は曖昧に頷き、顔を逸らすことでそれ以上の相手になることをやんわりと拒んだ。

「後ろに何かくっついてるけど、大丈夫? 落ちそうよ」

彼女にそう言われ、巻島ははっとして首を回した。

上着の裾にくっついているものがひらりと見えた。

紙だった。ガムテープで裾に留められている。

巻島は細かく折り畳まれていたそれを手に取って開いた。

「そのまま竹下通りのマクドナルド前に来い」

例の作為的な文字で書いてある。

巻島は反射的にあたりを見回した。

いつの間に？

しかし、当たり前のように不審な人影は見えない。

何者かを探していてもらちがあかないと分かり、巻島は背中を押されるようにして駅構内に引き返した。人の流れを縫って山手線の原宿方面ホームに回る。騒々しく滑り込んできた電車が大勢の人々を吐き出すと、巻島は崩れた列をなしていた人々とともに、それへ乗り込んだ。そして原宿に向かう。

代々木。原宿。

降り立った原宿駅のホームから見える夕刻の竹下通りは、相も変わらぬ祭りのような人だかりを呑み込んでいた。

階段を降り、竹下口の改札を出て、駅前の道路を渡る。

マクドナルドの前で待って、それからどうなる？　また気がつくと、上着に紙が貼りつけ

られているのか？　そして今度は山下公園に来いとでも書かれているのか？

巻島は竹下通りに入りかけたところで、はっと立ち止まった。

腰のほうに手を回してみる。

紙がすでにくっついていた。

いつの間に？

巻島は駅前の雑踏を呆然と眺め、それから開いた紙に目を落とした。

「山下公園せかいの広場に来い」

やはり、そう書いてあった。

＊

「いやあ、大事件の捜査って憧れてましたけど、こんなに面白くないもんだとは思いませんでしたよ」民家の塀にもたれた清野が煙草をふかしながら言う。「歩き回るばっかりで、しかも一般人《パンピー》に煙たがられて……つまんないんですねえ、刑事って」

すっかり嫌気が差したふうの清野は、露骨に顔をしかめて愚痴を吐き捨てた。

「まあ、正義感でやる仕事だからねえ」

　小川がとりあえずそう応えると、清野はしかめた顔を小川に向けた。

「てか、小川さん、今日何やりました？　ずっと俺の後ろをくっついてるだけじゃないですか」

「いや、それは清野君がそうしたいってことだったから」

「他人のやる気に甘えないでくださいよ」

「そうだよねえ」

　小川は乾いた笑いでごまかした。半日のうちに立場が逆転してしまっている。

「このままじゃノルマ終わんないし、どうするんですか？」

「いやあ、どうしようか？」

　小川が判断を預けるように言うと、清野の口からかすかな舌打ちが洩れた。これ見よがしのため息がそれに続いた。

「とにかく二人で回ってたら進みませんから、手分けしましょうよ。俺が新規を回りますから、小川さんは昼に留守だったところを潰してくださいよ」

「ああ、そうだね」小川は清野の要領を得た指示に感心した。「じゃあ、その前に一休みして何か食べる？」

　一瞬、清野が睨みつけてきたので、小川は殴られるかと思って身構えた。しかし、怒るの

も馬鹿馬鹿しいと思ったのか、清野は呆れ顔に切り替えて脱力したように息をついた。

「じゃあ、行きましょ」

仕方なさそうに同意した清野と連れ立って、コンビニに向かう。駅前まで戻るのは面倒くさいので、腹ごしらえも水分補給も小用も、近くにあるコンビニで済ませている。

七時を回り、閑静な住宅街には夕暮れが深まっていた。窓明かりの暖かい光がそこかしこで見られる。

昼間訪れたときには留守だったアパートの部屋からも明かりが洩れていた。

「小川さん、ああいうとこ、どうせ回んなきゃいけないんですから、ついでに当たっといたらどうですか？」

小川の視線を追って清野が言う。

「そうだねえ。じゃあ、一休みしたら」

「今行けばいいでしょ！　いい加減切れますよ俺も！」

いきなり清野に真顔で一喝され、小川は首をすくめた。

「先に行ってますからね！」

冷たく言い放たれ、小川はしょんぼりと清野の背中を見送った。

そんな怒ることでもないのに……立ちっぱなしで成果の見えない仕事を一日続けて苛立っ

ているのだろうが、面と向かってああいうふうに言われると、さすがの小川でも落ち込む。あんな年下の捜査の素人にも自分はダメ刑事に見えるらしい。

本当に刑事辞めようかなあと思い、それから、ああ、喉が渇いたなあと脈絡なく思った。

まあ、そんなことを考えていても仕方ないので、小川は気を取り直して、目の前のアパートに視線を向けた。一階の一番右の部屋には午前中にべもなく協力を拒否した田坂という男が住んでいるアパートだった。そのときは左端と真ん中の部屋は留守だったが、今はドアの隣の曇りガラスから明かりが洩れている。

小川はまず、カタカタと料理をしているような音が聞こえる真ん中の部屋のドアをノックした。白沢《しらさわ》という人間が住んでいるはずだった。

「はい……」

「警察なんですけどぉ……ちょっとよろしいですかぁ？」

解錠の音がして開いたドアは、それでもまだチェーンロックがかかっていた。そこから三十前後のすっぴんの女性が胡散くさそうに顔を覗かせた。

「あ……ここはお独り住まいですかぁ？」小川は身分証を提示して訊いた。

「そうですけど……」

「兄弟とかボーイフレンドとか男の人と同居してるってことは？」

「一人です」女性は不機嫌な声で答える。

ちらりとたたきに目を落としたところでも、男物の靴は見当たらなかった。

「そうですかぁ……あ、今日はカレーですか？」

「はあ……いけませんか？」

愛想のかけらもない返答に、小川は笑みを引きつらせた。

「いやいや、どうぞ遠慮なく」

小川は自分でも意味不明なことを言って、すごすごと退がった。簡単に終わってよかったと思った。

ノートに記録をつけてから左の部屋に移る。ここは三年前に作成された巡回連絡カードと郵便受けの名前が違っている。郵便受けが正しいなら、浦西《うらにし》という人間が住んでいる部屋だ。

「こんばんはぁ、警察の者なんですが……」

ノックをして言うと、一瞬誰もいないかのような沈黙を挿んでから、「はあ……」という間延びした声が聞こえた。そして、そのあとにドアを解錠する音が続いた。

開いたドアの向こうに立っていたのは、小川と同年代に見える三十代前半の男だった。襟口が伸びた青いTシャツを着て、下はケミカルウォッシュのジーンズを穿いている。痩せ気味で喉仏が目立つのと、ラクダのような眼に長いまつげが特徴の男で、全体的にはいたって

平凡な風貌をしていた。一見して強面ではなく、むしろ人がよさそうなタイプに見えたので、小川は一安心した。

「すいませんねえ、ちょっとこのへんを回らせてもらってるもので」

「はあ……」

「昨日の〔ニュースナイトアイズ〕は見てらっしゃいましたかねえ？」

「いやあ、ニュース番組はあんまり見ないもんで」

苦笑いか愛想笑いか、浦西は軽く頰を緩めて答えた。

「そうですかぁ。でも川崎の事件と〔バッドマン〕のことはいろいろ話題になってますし、もちろんご存じですよねえ？」

「ええ、まあ、聞きかじり程度でしたら」

小川は〔バッドマン〕の掌紋がコピーされた紙をちらりと見せ、〔バッドマン〕の居住圏と見られているこのあたりを回って掌紋提供の協力要請をしている経緯をかいつまんで話した。

「で、ええと、こちらは浦西さんのお独り暮らしで？」

「まあ、そうです」

「ここにはいつ頃からお住まいで？」

「はあ、まあ、だいぶ経ちますね」

「一年とか、二年とか？」

「ええ、それくらいですね」

どっちなんだと思いながらも、小川は先に進んだ。

「浦西さんの下のお名前は？」

「景一《けいいち》ですけど……風景の景に一です」

年齢三十一歳、職業フリーターと、訊いたままをノートに記入して、小川は顔を上げた。

「で、あと、掌紋なんですけどね……」

そう切り出したとたん、浦西は申し訳なさそうに「あぁ」と声を洩らした。

「え？　何か？」

きょとんとする小川の前に、浦西は右手を出してみせた。

その右手は添え木らしきものと一緒に包帯が巻かれていた。

「怪我してるんですよ。夜道でつまずいたときに、かばんを持ってた手を変なふうについたもんだから、手の甲にひびが入っちゃって」

「ああ、これは無理ですねえ」小川は怪我の痛みを分かち合うように顔をしかめた。「これじゃあ、何するにも不自由でしょう」

「ええ、ご飯食べるのとか大変なんですよ」

「でしょうねえ」小川はしみじみと相槌を打った。

「すいません」浦西はぺこんと頭を下げて苦笑いを浮かべた。

「いえいえ」

「ほかは皆さん、協力されてるんですか？」浦西がラクダのような眼をしばたたかせて訊く。

「いやあ、結構難しいんですよ」小川は頭をかいた。「関係ない人には、しょせん他人事ですからねえ。まあ、上の方針だから仕方なく回ってるようなもんです」

浦西はふんふんと頷き、そのまま小川の出方を待つように何気ない視線を向けてきた。

「あ、じゃあ、お邪魔しましたぁ。お大事に」

小川は頭を下げて、身体半分を入れていたたたきから退がった。自分でドアを閉めようとして、しかし、その手を止めた。

「ああ、そうだぁ」

脇に抱えたかばんからポストカードを一枚取り出した。

「これ、よろしかったらどうぞ」

「ああ、すいませんね」

浦西が受け取ろうとするところを、小川は少しだけ手を引いて暗に制した。

「知ってます、〔マイヒメ〕？　今、すんごい人気らしいですよ」

小川が頬を緩めて言うと、浦西も「ええ」とリラックスした笑みで応じた。

「この前、一日署長で見たんですけど、本当に可愛かったですよぉ」

「へえ」

「特にこのベージュのスカーフの子」小川は顎でポストカードを指した。「ええと、何て言ったっけなぁ、この子……」

すぐには反応してもらえず、小川は顔をしかめて粘ってみた。「ええと、ええと……」

やがて、浦西が仕方なさそうに助け舟を出してきた。

「ミユリン？」

「そうそう、ミユリン！」ミユリンが臙脂色のスカーフを巻いているのを確かめながら、小川は無理に相好を崩した。「生ミユリンに感動しましたよぉ」

「へえ」浦西は小川に合わせるように、羨ましそうな声を出した。

「いやあ、可愛かったなぁ」小川はしみじみと独り言を言ってから、ようやくポストカードを浦西に渡した。

「じゃあ、どうも、失礼しました」

「はい」

小川は和やかにお辞儀を交わして、今度こそドアを閉めた。そのまま回れ右して道路に出る。

コンビニに向かって歩いていくと、向こうからは清野が缶ジュースを飲みながら戻ってくるところだった。

「公園に行ってますから」清野はコンビニの袋をひょいと上げて無愛想に言う。

「ちょっと、それちょうだい」

小川は清野の言葉には応えず、彼の缶ジュースに手を伸ばした。

「何すんですか⁉」

「ちょ、ちょっと飲ませて」

「買ってくりゃいいでしょ！」

「の、の、喉カラカラだから」

小川はタコのように唇を尖らせ、強引に清野の缶ジュースに口をつけた。

「あ」抵抗していた清野が驚いた顔をして缶ジュースを手離した。「小川さん、何震えてるんですか⁉」

アパートを離れてからずっと笑っていた小川の膝は、今や直立しているのもままならないほどにがくがくと震えていた。

缶ジュースもしっかりとは摑めず、少し飲んだだけでむせ返ってしまった。小川はそれを足元に落とし、涙目になったまま空《から》えずきを繰り返した。陸に上がった魚のように激しく口をパクパクさせて息を整えた。

「俺、こういうの当たるんだよぉ……本当によく当たるんだよぉ……」

小川はほとんどうわ言のように言っていた。

＊

関内から乗ったタクシーを降り、巻島は暮れなずむ山下公園の前に立った。空は海に向かって開けてはいるものの、すっかり昼の明るさを失っていた。巻島はいつもと変わらぬひっそりとした佇まいを見せる氷川丸を遠目に捉えてから、公園の右端に位置するせかいの広場に急いだ。

地下駐車場脇の螺旋階段を上がる。外灯に照らされたブリッジを渡り、緑葉樹が絡んだアーチをくぐる。

せかいの広場の中央に出た。

巻島は額に浮いた汗を手で拭いながら、周囲を見渡した。

離れたところにちらほらと人影が見える。

だが、いずれもカップルらしきシルエットで、それらしき男はいない。

俺のほうが早かったか……巻島はともすれば焦れそうになる気持ちを無理に抑えつけ、とにかく待とうと自分に言い聞かせた。

宵を招くのを渋っていた空が、次第に分刻みで闇を深めていくようになった。

その闇に包まれながら、巻島は石畳の上に立ち尽くした。

やがて……。

外灯の明かりが届かない石壁の陰から、一人の男が現れた。闇に溶けていたのが、不意に浮き上がって出てきたようにも見えた。

隣には子供がいる。男がその手を引いている。

「やはりあんたか」

巻島はゆっくりと、彼らの表情が見える距離まで近づいた。

一平は今にも泣きそうな顔をして巻島を見ていた。巻島は一平に一つ頷いてみせ、それから桜川夕起也に視線を戻した。夕起也の一方の手にナイフが握られているのを見てから、彼の凍ったような眼を見つめた。

「少しは六年前の俺の気持ちが分かったか？」

彼の表情に浮かぶ陰鬱な色は、宵闇のせいか、それとも六年の重い歳月のせいか。六年前の若さは、今の彼のどこにも見当たらなかった。

「自分たちが犠牲になった犯人を装って……そんなことをして健児君が喜ぶと思うのか？」

巻島は光のない彼の眼に語りかけた。

「うるせえっ！　聞いたようなことを言うなっ！」

夕起也が顔を歪めて叫んだ。悲壮感をにじませたその表情は、彼の痛憤の深さを物語っているように見え、巻島は対する言葉を失った。

「お前は正義か？」

夕起也は一転、表情を消し、据わった眼を巻島に向けた。

「正義の担い手……よくぬけぬけとそんなことが言えるな……」

夕起也は一平の手を離すと大股で巻島との間合いを詰め、その勢いのまま、足の裏で巻島の腹を蹴り飛ばした。巻島は最初の一歩を見て腹筋を固めていたものの、衝撃と痛みのほうが勝ち、思わず膝から地面にくずおれた。

「他人の死を仕事の延長でしか見てないやつが偉そうなこと言うんじゃねえよ！」

一平がむせぶように泣き始め、恐怖から逃れようと後ずさりする。

「一平……そこにいなさい」巻島は苦痛が波のように押し寄せる合間に、声を絞り出して言

った。「大丈夫だから、そこに座ってなさい」

「いつまで格好つけてんだ！」

巻島の上から、夕起也の興奮した声が降りかかる。

「お前のそういう態度は本当に反吐が出るんだよ！　しれっと何でもない面しやがって。昔のことはきれいさっぱり忘れたような顔しやがって。それをテレビで何度も見せつけやがって！」

夕起也の足に肩口を踏まれ、巻島は地面に両手をついた。

「そのまま土下座して謝れよ」

夕起也の足に異様な力がこもる。

「健児が殺されたのは自分のせいですって言えよ」

夕起也の鼻息は荒々しくも震えていた。

「地面に頭をこすりつけて、自分が全部悪かったたって言えよっ！」

「断る！」巻島は力の入るようになった腹から声を出した。

「何だと!?」

「謝るときは自分の意思で謝る。指図されて謝るつもりはない」

「謝れって言ってんだろ！」

勢いをつけた夕起也のかかとが巻島の首筋にめり込んだ。

引きつるような激痛を耐えて、巻島は無理に立ち上がった。膝に手をつきながらも、正面から夕起也を見た。

「約束する……あんたの家に行って、そこで改めて謝罪する。だから……今日はお互い、なかったことにしよう」途切れ途切れに声を絞り出した。

「今、謝れって言ってんだっ!」夕起也が顔をくしゃくしゃにさせて怒鳴った。

「嫌だっ!」巻島も叫び返した。

「このやろう……!?」

「力ずくで謝らせて、あんた納得できるのか!?」

「うるせえっ!」

夕起也が巻島の髪を摑んで、力任せに引っ張った。血走った眼と荒い息の洩れる鼻と憎悪に歪んだ口が巻島の間近に迫った。

夕起也のもう一方の手が振り抜かれ、巻島の脇腹をえぐった。夕起也のこぶしを受けながら、巻島はその続きが何回か繰り返されるのを覚悟した。しばらくは黙って打たれるのも仕方ないと思った。

しかし、その一撃だけで夕起也の荒い息遣いが遠のいた。巻島の髪からも彼の手が離れた。

二、三歩後ずさりした夕起也は、何かを発散し終えたような、いくぶん冷めた表情になっていた。

そして、夕起也のこぶしから鈍い光を放つ刃が突き出ているのに気づき、巻島は上着をはだけて痛みの治まらない脇腹に手を当てた。そこでようやく、その一撃がただの鉄拳でないことを知った。

急に背筋が寒々とし始め、気分が悪くなってきた。

「馬鹿なことを……」

巻島はぬらぬらとした脇腹を押さえたまま、不快な痛みを持て余して腰を折った。

「馬鹿なことを……」

夕起也は肩で息をしながら棒立ちになっていた。表情は乏しく、意味不明の苦悶に似た声が、彼の半開きになった口から洩れていた。

巻島は立っているのがつらくなり、ふらふらと歩いて石壁にもたれた。ずるずると腰を落として地面に座り込んだ。

夕起也は前に一歩出ようとしてやめ、それから不安そうに周りを見回し、また呆然とした顔を巻島に向けた。何の判断もできない様子だった。

「行け」巻島は悪寒に震えながら、押し殺した声を夕起也にぶつけた。「いいから行け！」

夕起也は耳を疑ったような顔で巻島を見つめていた。ふわふわとした足取りで一歩二歩と巻島から離れ、いったん背を向けてから、また巻島を窺うように振り返った。それを何度か繰り返し、見るからに戸惑いを引きずってアーチの向こうに消えていった。

遠目からこちらを気にしている素振《そぶ》りのカップルに気づき、巻島は感覚の乏しい足に力を入れて立ち上がった。目眩《めまい》と悪心《おしん》が押し寄せてきた。数歩歩いて、カップルの視界から外れた石段に腰かけた。横になりたかったが、まだかろうじて身体は言うことを聞きそうだった。

一平が不安そうに近づいてきた。泣きはらした眼でじっと巻島を見ている。

「大丈夫だ」巻島はかろうじて笑みを作った。「大丈夫……もうすぐ家に帰れるから……怖かったか?」

一平はこくりと頷き、泣き顔になる。

「そうか……でも、もう泣かなくていいぞ」

目眩が止まらない。傷口付近のシャツがかなりぐっしょりしているのに気づき、巻島はひやりとした。

「いたいのぉ?」一平が訊く。

「注射よりちょっと……痛いかな」巻島は喘ぎたいのを我慢して、一平との会話に付き合った。

「だれか呼んでくるぅ？」

「ありがと……でもいいよ……おじいちゃん……電話持ってるから」

巻島は内ポケットから携帯電話を取り出した。脂汗が眼に染みる。それでなくても視界はいつもの秩序を保っていない。一生懸命目を凝らすが、それぞれのボタンの位置が把握できない。

巻島は大きく息をついて、携帯電話を閉じた。

「一平……悪いけど……誰か呼んできてくれ」

巻島はそう頼んで、横に崩れた。視界が回るのを嫌って眼をつむったが、それでも目眩の感覚は消えない。まぶたの裏が回っている。

片手で脇腹を押さえ、片手で携帯電話を握り、足を投げ出して、巻島はただ自分の荒い息遣いを聞いていた。

携帯電話が震えていた。いつから震えていたのかは分からなかった。思い出したようにそれに気づいて、巻島は緩慢に携帯電話を開け、大雑把に耳へ持っていった。

〈……もしもし、もしもし……〉

男の声が聞こえる。この声は誰だったかと霞む頭で考えながら、巻島は「あぁ」と呻き声にも似た返事を洩らした。

〈捜査官、今、電話よろしいですか?〉

「あぁ」

声質からするとどうやら本田らしい……だが、いつもの彼とはどこか違う気もする。

〈今、現場から報告が入りました。一人ヒットです。浦西景一、三十一歳、アパートに独り暮らしの男です。右手を怪我したと言って包帯を巻いていました。〝ベージュ〟にも引っかかりました〉

「そう……か」言葉と一緒にこぼれ出た吐息が安堵によるものか苦痛によるものかは、巻島自身、よく分からなかった。「じゃあな……任同かけてくれ……一課の腕こきをつけるように……中畑君に頼んで」

〈分かりました……〉

本田は巻島の喘ぎ混じりの声を訝るような、戸惑い気味の相槌を打った。

「それからな……山下公園に救急車を呼んでくれ」

〈どうしたんですか?〉本田が異常を確信したように訊く。

「刺された……」

〈え……捜査官……!?〉

「犯人は……三十代……やくざ風……面識なし……」

〈大丈夫ですか⁉〉

「心配するな……じゃあ、頼む……」

喋ることもそのへんで限界だった。折り畳んだ携帯電話が巻島の手から滑り落ちた。

眼を開けてみると、外灯の光が朧月《おぼろづき》のようにぼんやりとして見えた。それがゆらゆらとどうしようもなく揺れている。

もう一度眼を閉じたら、二度と眼が開かないような気がした。それでも仕方ないかという諦念もどこかにあった。

やがて一平の顔が視界に入ってきた。

「おじいちゃん……」

一平は目の前にいるのに、呼ぶ声はひどく遠くから聞こえる。

一平の横に、女性が心配そうな顔をして現れた。

ほっそりとしたその姿、一平と並ぶその姿を見て、巻島はどうやらいずみらしいと思った。

何だ、いずみ、飛んできたのか……心配かけて悪かったな……巻島は笑いかけようとして、できなかった。

10

巻島は夢とも現実とも判然としない世界をかなり長い間漂った。何人かの人間に囲まれて、ざわざわと上から喋りかけられたり、身体をあれこれ触られたりしているのを感じると、漠然としつつもこれは現実らしいと理解した。自分はまだ生きているのだなと思った。

そんな意識も及ばないところでは、巻島は孫を捜して駆け回ったりしていた。孫の名前は一平から途中で健児に変わったりしたが、巻島は別に不自然とは思わなかった。ときには一平の名を、ときには健児の名を呼びながら、どことも知れない建物の中を捜し回っていた。ある部屋に足を踏み入れると、そこには電線のコードでグルグル巻きになった男がいて、それを解こうとする巻島にもコードが絡みついてきた。やがてグルグル巻きになった男は動きが緩慢になり、呼んでも応えなくなった。どうやら死んだらしいその男が何者なのかは分からなかった。分からないまま、巻島は何とも言えず寂しく思った。

そのひどく重苦しい世界では、過去も未来も家族も仕事も、巻島にとってはないも同然だ

った。目の前の出来事をただ切り抜けるだけがすべてだった。孤独ではあったが、この世の中はしょせんそういうものだというある種のあきらめも一方ではあり、ずいぶん前からずっとそんな感情を抱いていた気もするのだった。

そんな世界を経て、また現実らしきものが近づいてきたのが分かった。ふと、誰かが一生懸命何かを問いかけているのに気づいた。巻島は意識のごく表面だけでその問いを受け、知らない男、知らない男、と口を動かしていた。

それからしばらくして、巻島は自分が何かに乗せられて、どこかからどこかへ運ばれていくのを意識した。

その途中で……。

——捜査官……。

耳元で本田の声が聞こえた。

——浦西が落ちました。〔バッドマン〕が捕まりました。

時間はかかったが、本田の言っていることは理解できた。その言い方は巻島を励ましているようにも聞こえた。しかし、何かの感慨が湧くほどの余裕はなかった。

遺族に……連絡してくれ……。

とりあえずそう口にしてはみたが、ちゃんとした声になったかどうかは自信がなかった。

本田の返事が聞こえた気がしたので、巻島は勝手に納得した。

どこかで止まったかと思うと、しばらく周囲でガタガタと慌しい音が続いた。そして身体のあちこちをいじられたあと、不意にあたりが静かになった。お父さん、といずみが呼ぶ声がしたので、巻島は一回だけ頷いた。眼を開けてもどこかを見るという集中力がなく、何人かの顔があるのを意識しただけで、まぶたの重さに負けた。

そのまま気だるさに引きずられて、巻島は再び現実から遠ざかっていった。


「巻島さぁん、ちょっと体温測りますねぇ」

耳元で声をかけられて、巻島は目が覚めた。

「あら」いかにもベテランといった感じの看護師が巻島と目を合わせて、とぼけた声を出した。それから「ふふ」と独り笑いをする。

横から園子が覗き込むように顔を出した。彼女も何やら安堵の混じったような笑みを浮かべていた。

そこは殺風景とも言える小さな個室だった。窓際に園子のバッグが置かれている。巻島の

かたわらには点滴のスタンドがあり、ほとんどしぼみかけている薬液のパックがかかっていた。それらをぼうっと眺めているうちに、自分はどこかの病院のベッドに寝かされているのだという事実がはっきりと頭の中に入ってきた。

次いで、喉が渇き切っていることに気づいた。

「水をくれ……」

園子に水を飲ませてもらい、巻島は人心地がついた。

「七度六分ね」

看護師は巻島の脇から抜いた体温計を読み上げて、満足そうに一つ頷いた。

身体がだるく、思うように動かないのは熱があるせいか……巻島はそんなふうに思った。特に、胸から下は固まってしまったように強張った感覚がある。もちろん脇腹の傷を治療した影響もあるのだろう。包帯でグルグル巻きにされているに違いない。

件《くだん》の箇所に意識を移してみる。やはり強張った感じがする。痛み止めが効いているのか、顔をしかめたくなるような激痛はないが、疼くような鈍痛がそのあたりに停滞している。

看護師が出ていったあと、巻島は自分が意識を失ったあとのいきさつを園子に教えてもらった。

巻島が倒れてからほぼ一日が経過していた。昨日、巻島は救急車でこの病院に運ばれ、輸

血をしながらの、動脈と腸の縫合手術を受けた。動脈は幸いなことに切断を逃れていたものの、小さな傷がついていて、そこからかなりの出血があったという。腸はざっくりと切れていたらしいが、手術はとにかく無事に終わったということだった。夜通しうなされ続けた高熱も、今日の午前中には八度台まで下がり、ひとまずの峠を越えたので、集中治療室から一般病棟の個室に移された。

そんなふうだったから、今の体温が七度六分でも御の字ということだったようだ。巻島は自分の生還を嚙み締めて、少しばかり感慨にふけった。

病室のスライドドアが開き、一平を連れたいずみが入ってきた。

「お父さん……」

巻島と目を合わせて、いずみが声を詰まらせる。

「心配かけたな……ありがとう」

弱々しい声しか出ない自分に参りながら、巻島はいずみと一平に微苦笑を向けた。

いずみは口をぎゅっと閉じて首を振り、それから安心したような笑みを浮かべた。その笑顔で今度は一平を見る。

「本田さんが夜にもまた来るって」園子がいつもの冷静さを取り戻して言った。

「そうか……」

本田から声をかけられたのは、集中治療室からここへ移ってくるときだったか……あれが夢でないとするならだが。

昨晩は刑事部長や参事官のほか、津田や村瀬らも駆けつけてきた……そんなことも、園子は業務連絡のように淡々と教えてくれた。

「あ、そういえば……」いずみがかすかに眉を寄せて言う。「桜川さん……？」語尾を上げ、そういう人を知っているかと問いかけるように巻島を見る。

巻島は桜川家の誰のどんな話か分からないまま、とりあえず小さく頷いて先を促した。

「さっきから来ててね」いずみはドアのほうを一瞥する。「今もまだ、ロビーのほうで待ってるかもしんない」

「女の人か？」

「うん」

巻島は昨日の山下公園で、傷を負った自分のもとに駆けつけてきた女性のことを思い出した。いずみがあの場所にいるはずはなかった。あれは桜川麻美だったのだと思う。

「呼んでくれ」巻島はそう頼んでから続けた。「お前たちはそのまま夕飯を食べてきなさい」

「じゃあ、そうするわね」

桜川の名前に何かの事情があるのを察したからこそだろう、園子の口調は何気ないものだ

った。

三人が連れ立って病室を出てからしばらくして、ドアにノックの音がした。スライドドアが開いて、小柄な女性が姿を見せた。桜川麻美は最低限の化粧こそしているようだったが、髪はほつれ、顔色は青白く見えた。目は伏せがちで、心の曇りがそこに浮き出していた。

麻美はドアを閉めると、弱々しい視線を巻島に留め、深々とお辞儀をした。

「あの……主人が大変なことをしてしまって……」

「いや……」巻島は声を出してさえぎった。

六年前、最後まで詫びの言葉を吐くことなく、ひたすら体裁を取り繕うのに汲々としていた男に、どんな理由があろうとそんなに簡単に謝ってほしくはなかった。自分への皮肉ではなく、ただ本当に、それでは心苦しさしか残らないと思った。

「私は……」小さな声を絞り出すようにして、麻美が続ける。「誰を恨んだって仕方がないって思ってます。何も戻ってはこないんですから。だから、本当は私が主人を止めるべきでしたけど……できませんでした。でも、それがまさか、こんなことになるなんて……」

巻島は首を振り、身体を起こそうとして緩慢にもがいた。まだ思うように力が入らない。無理に身体を捻ると、とたんに脇腹がきりりと痛んだ。

「あの、そのままで」麻美が慌てた声で言う。

巻島はあきらめて、ぐったりと身体の力を抜いた。天井を見たまま、大きく息をついた。

「夕起也さんのことは大丈夫ですから」巻島はぽつりと言った。

捜査の動きも分からないだけに、具体的なことは何も言えないのだが、巻島はとにかく、彼女の肩に載っているものを少しでも軽くしてやりたかった。

漫然と天井を見つめる巻島の視界の隅で、麻美はまた頭を下げた。

そのまま沈黙が流れた。

「あの……」麻美がか細い声を静寂に溶け込ませた。「一平君に可哀想なことをしました」

その言葉が愛息を失った人の口から出てきたものであることを意識し、巻島は思わず胸が詰まった。

「もう少し大きくなったら、昨日のことは私のほうから話してやります。今はただ無事だったことで娘もほっとしてますし、それだけでいいと思います」

巻島がそう言うと、麻美はうつむいたまま、小さく頷いたように見えた。

再び沈黙が戻ってきた。

しかし、それは単なる空虚な間ではなかった……少なくとも巻島にとっては。

長い歳月の底に沈んでいたものが心の中をせり上がり、今にもあふれ出しそうだった。

「あの……お休みのところ失礼しました」

麻美は消え入るような声で言うと、丁寧に一礼した。顔の前に流れた髪をかき上げ、うつむき加減にそっと部屋を出ていこうとする。

「麻美さん……」

巻島は呟くように彼女を呼び止めた。

麻美が静かに振り向く。

「大和《やまと》市の鶴間《つるま》に有賀吉成《よしなり》という男がいました。二十七歳で無職……母親と二人暮らしでした」

巻島は一つため息をついてから続けた。

「彼は六年前の山下公園で我々が一時マークした男と年格好が似ていました。事件当時の明確なアリバイもない。知り合いの借金の連帯保証人になっていた彼の父親が取り立てに追われていて、あの事件後、間もなく自殺していることも分かりました。それから、彼自身もその家庭事情から大学を中退したばかりであったことや、以前には友人たちと山下公園の花火を見に行った経験があることも……捜査本部が彼を最後まで捜査線上に残した理由はそういうことでした。けれど、言ってしまえば、それだけだったということです。決め手の証拠は何もありません。捜査本部は、彼が何かをしでかすのを待ち続けることしかできませんでし

た。でも、彼は引きこもり状態で滅多に姿を見せることもなくて……そして、つい最近になって、彼は自宅で首を吊って自ら命を絶ちました」

巻島は天井に視線を向けたまま、やるせない思いを少しばかりの沈黙に代えた。

「彼は生前、言ってたそうです……外に出ると、電線が垂れ下がってきて、自分に絡みついてくる。電線にがんじがらめにされてしまう。だから、怖くて外に出られないと……」

巻島はそう伝えてから、湿った吐息をしんみりと添えた。

「彼があの事件の犯人だったのかどうか、私には分かりません。でも麻美さん……あの事件の犯人が誰であろうと、その人間はその後、本当に悲惨で悲惨で仕方がない人生を送っているんだろうと思います……間違いなく、そうなんだと思います」

麻美がふと、目元を手で押さえた。巻島はやはり、それを直視することはできなかった。

巻島の喉もひくつき始めていた。抑えようとはしてみたものの、長い沈黙を作っただけに終わった。

「麻美さん」

勝手に歪もうとする顔を強張らせて巻島は呼びかける。

「もうすぐ、健児君の七回忌ですね……」

「はい……」麻美が小さな涙声で応えた。

「麻美さん……」

巻島は呼んで、歯を食いしばった。

喉の奥で熱いものが砕け……。

その破片が言葉となって、巻島の口からこぼれる。

「申し訳……ありませんでしたっ」

天井がぶわりとにじみ、涙が目尻の堰を一気に切った。

「私は……」

巻島はひくついた喉から、昂ぶったままの声を必死に絞り出した。

「私は……自分の力不足で……あなたから大事な命を……かけがえのない宝物を奪い取ってしまいました」

巻島はきっと眼を見開いて、流れる涙に悔恨の思いを乗せた。

「ごめんなさい……本当に、本当にごめんなさい」

とめどない嗚咽が喉を震わせ続ける。しかし、それでも言わねばという思いだった。自分の懺悔が一掬《いっきく》の救済となって彼女の耳に届くことを信じ……巻島は顔を歪めて言葉を続けた。

「私も背負ってますから……ずっと……今までも……だから、お願いです。あなた方だけで背負い込まないでください……私も背負います……これからも……ずっと背負いますから

「……」

巻島はそれだけを精一杯言うと、あとはもう嗚咽に抗するのをやめ、ただ涙込み上げるままに泣いた。

麻美は顔を両手で覆い、やがて巻島の視界から消えた。

ドアが開き、閉まる音がした。

部屋には巻島のむせぶ声だけが残った。

「お父さん、本田さんがいらっしゃったわよ」

園子の声を巻島は背中で聞いた。涙の乾き切っていない眼は、漆黒の夜空を背景にして部屋の明かりを反射するだけとなった窓に向いていた。

「捜査官……」

本田の姿が窓ガラスに映る。園子たちが食事から戻ってきたときと同様、巻島は彼のほうにも顔を向けることはしなかった。

本田もわざわざ窓側に回り込んでくる真似はしなかった。

「本日五時過ぎ、浦西の逮捕が済みました」

本田は静かな口調で報告した。

「そうか……ご苦労さん」巻島は呟くように応えた。

「三十一歳のフリーターです。その歳で、といっても、今じゃ珍しくはないんでしょうけどね。仕事は本当に転々としてたようです。神経質というか臆病というか、アパートの隣の住人なんかと会っても部屋に隠れてしまうような、やはりちょっと変わった感じの男だったみたいですね。今、ガサ入れが続いてますけど、投書に使ったと見られる便箋や封筒だけじゃなくて、犯行メモみたいなものも見つかってるようです。まあ、そんなのをつぶさに記録するやつの気も知れませんけど……結局、それでやつは被害者の特徴なんかも克明に憶えてたわけですよ」

巻島は小さく頷いた。

「……被害者の会には連絡してくれたか？」

「捜査官の指示通り、済ませてありますよ」本田は少し声を和らげて答えた。

「そうか……ありがとう」

「それで……」本田はやや言い淀むように間を空けた。「曾根本部長と岩本部長による記者会見が今夜行われるそうです」

「そうか……」

「捜査官のコメントを求められるかもしれないから訊いてこいと言われてますが？」

「また、自分の口で言うよ」

「そうですね」

　本田は言下に相槌を打ったが、次の言葉を発するまでには時間がかかった。

「あと……桜川夕起也が先ほど加賀町署に自首してきたそうです」

「………」

　巻島は複雑な哀感を押し静めてから、かろうじて「そうか……」とだけ返した。

「とりあえず、報告はそれだけですかね……」本田は吐息混じりに言った。

「ご苦労さん」

　本田は何となく去りがたかったのか、しばらく何も言わずにじっとしていたが、やがて、

「じゃあ……ゆっくりお休みください」と言い残して、静かに病室を出ていった。

　入れ替わるように園子たちが入ってきた。巻島はみんなに背中を向け続ける根気もなくなり、仰向けに戻って眼を閉じた。

　そのまぶたの裏に浮かび上がってきたのは、桜川夕起也が取調室の席に着かされている姿だった。

　甘い取調べはない。現役警察官を刺したとなればなおさらか。

　巻島はふと眼を開けた。

身体を起こす。

脇腹にびりりと電気が走ったが、構わなかった。

「何してんの、お父さん、駄目よ」

いずみが慌てて制する。

「いいんだ」

喘ぎと一緒に言葉を吐き出して、巻島はベッドから降り立った。

頭がふわふわとして身体に力が入らない。軽い目眩もある。しかし、巻島は点滴のスタンドを引っ張って、裸足のまま歩いた。

「ちょっと、どうする気なの？」

園子の声を無視してドアを開け、部屋を出る。

「本田！」

思うような声は出なかったが、巻島は通路の先に姿を消してしまった本田を呼びながら歩いた。

通路の角を曲がる。

「本田！」

本田はちょうどエレベーターホールの前に立っていた。巻島に気づき、何かというように

引き返してくる。

巻島は点滴のスタンドで身体のバランスを取り、呼吸を整えた。

「彼には津田長を……津田長をつけてもらうようにしてくれ」

本田は呆気に取られたように巻島を見たあと、口元に笑みを覗かせて頷いた。

「分かりました。帰りに加賀町署に寄っていきますよ」

「頼む……」

本田は一礼すると仕事へ向かう顔になり、エレベーターホールへと戻っていった。

それと入れ替わるようにして……。

通路の途中で本田とすれ違った女性が、巻島の目の前まで来て、不意に立ち止まった。

「あの……こんなところに押しかけてきて申し訳ありません」

見覚えがあった。

「ああ……」

川崎事件の被害者、桐生翔太少年の母親だった。女手一つで育てた、おそらくは生涯唯一だろう我が子を理不尽に奪い取られてしまった人……彼女のもとを津田と一緒に挨拶で訪れたときのことは、巻島も忘れられないでいた。

桐生真砂子は両手を前に重ねて深々とお辞儀した。

「犯人が捕まったという連絡を頂きまして……巻島さんが入院されたということもお聞きして、どうしようかと迷ったんですが、どうしても一言お礼を申し上げたかったものですから」

真砂子はそう言うと、潤んだ眼を微笑むように細めた。

「ありがとうございました。ご苦労様でした。翔太には早速報告させて頂きました。悪い人が捕まったよって、刑事さんたちが捕まえてくれたよって……一周忌を前に、こんな報告ができるとは思いませんでした。巻島さんを始め、警察の方々のお力のおかげです。本当にありがとうございました」

「いえ……わざわざご丁寧に」

重ね重ね頭を下げる真砂子に対し、巻島もお辞儀を返そうとしたが、脇腹の痛みに半ばでさえぎられた。

「大丈夫ですか?」真砂子がはっとした顔で訊く。

「あ、いや、大丈夫です」

「あの、じゃあ、ここで失礼します」

恐縮したように言う真砂子に、園子が「どうぞお茶でも」と声をかけた。

「いえ、本当に一言申し上げたかっただけなものですから」

真砂子は控えめな口調ながら、遠慮して引きそうになかった。

「じゃあ……また、改めてご報告に上がります」

巻島はそう結んで、真砂子と礼を交わした。

園子の肩を借りて、病室に戻る。いずみが点滴のスタンドを持ってくれ、一平がその後ろをひょこひょことついてくる。

巻島は病室の前で立ち止まり、後ろを振り返った。

真砂子はまだ通路の角に立ったまま、巻島を見ていた。

そして、また、深々とお辞儀をする。

その姿が胸に染み、巻島は小さく下げ返した頭をなかなか上げることができなかった。

（参考文献）

『警視庁捜査一課特殊班』
毛利文彦　角川書店
『指紋捜査官』
堀ノ内雅一　角川書店
『ニュースキャスター』
筑紫哲也　集英社
『報道「フットワーク」主義』
渡辺宜嗣　実業之日本社
『報道ディレクター』
長島一由　ＢＮＮ
『図解　心臓病の治し方』
主婦の友社編　百村伸一監修　主婦の友社
『心臓病』
赤塚宣治　梧桐書院

『女性のための新医学事典』
矢野方夫　東京堂出版
『裸の刑事』
宝島社
『死体は語る　現場は語る』
上野正彦　大谷昭宏　アスコム
『極秘捜査』
麻生幾　文藝春秋

なお、取材に快くご協力くださいましたＴＢＳの池田裕行氏に心からお礼を申し上げます。

解説

小椰《おなぎ》　治宣《はるのぶ》
（日本大学教授・文芸評論家）

エンターテインメント小説の真の面白さは、常識的な世界を突き破ることから生み出される。とはいっても、リアリティは必要不可欠である。何らの裏付けもない空想だけの世界では、読者を納得させることは難しい。大胆さと緻密さが共存し、しかも日常と非日常との境界線上のリアリティを備えた物語、これこそが、読者が待ち望む「真のエンターテインメント小説」である。それは、背筋を這い上ってくるような緊張感と、次に起こることへのめくるめく期待感を同時に満たしてくれる小説でもある。

だが、そうした、心地好く酔える極上のエンターテインメントをコンスタントに提供できる作家は、そう多くはない。否、きわめて少ない。本書の作者、雫井脩介はその少

ない書き手の一人である、と断言しても間違いではあるまい。

二〇〇〇年に本邦初の柔道ミステリー、『栄光一途』(幻冬舎文庫)で第四回新潮ミステリー倶楽部賞を受賞した翌年、雫井脩介は『虚貌』(幻冬舎文庫)で早くも、「花も実もある」虚々実々の大胆な物語を紡ぎ出す。それは、ミステリーの常識を覆す「怪作」であり「快作」でもあった。根幹のトリックに対する一部の批判など、この物語が放つ魔力の前では色褪せてしまう。かほどに魅力ある復讐譚であった。

その後も、『栄光一途』のヒロイン、望月篠子が舞台を柔道からスキーに移して活躍する『白銀を踏み荒らせ』(二〇〇二)、元裁判官が元被告の「隣人」に翻弄される『火の粉』(二〇〇三)と、年に一作のペースで読み応えのある長編を世に送り出してきている。

そうした過去の諸作品をバネにして放たれた一本の矢——それが『犯人に告ぐ』に他ならない。その矢には、ミステリー界の新たな地平を切り開くだけの勢いもまた込められている、と私には感じられるのである。

さて、『虚貌』で事件を追ったのは、癌で余命いくばくもない初老の平刑事であったが、『犯人に告ぐ』では刑事らしくない風貌の警視が、姿の見えない犯人に前代未聞の闘いを挑むことになる。

＊

神奈川県警の巻島史彦が、その犯人と出会ったのは四十六歳の夏の日のことであった。自分が追っているはずの犯人に、ふと、そこはかとない恐怖心を抱く。追っても追っても相手の姿は見えてこない。じっとこちらを窺う気配だけが感じ取れる。

巻島にそんな畏怖にも似た感情を抱かせた初の相手、それが〔ワシ〕だった。刑事らしさが微塵もなく「ヤングマン」なるニックネームを頂戴していた巻島も、その前年四十五歳にして警視に昇進。この時は管理官として県警本部捜査一課特殊犯係二班を束ねるポストに就いたばかりであった。ノンキャリア組としては順調な出世コースといえた。それが、〔ワシ〕の事件によって大きく変転することになる。

事件は、五歳の男児誘拐。犯人は二千万円の身代金を要求していた。ところが警察の対応のまずさも災いして身代金の受け渡しに失敗し、子供は殺害されてしまった。受け渡し当日、巻島は犯人らしき男を発見したが、花火大会の雑踏のなかで見失ってしまっていた。自らを〔ワシ〕と名乗る犯人は、警察を愚弄するような犯行声明をファックスで送ってきたまま、その姿を闇のなかに消し去った。

警察完敗の言い訳を刑事部長から押しつけられたのが巻島であった。ところが、記者会見の席上、マスコミ相手に切れてしまった巻島は、失敗の責任をすべて負った形で左遷されてしまう。

実は、ここまでが本書のプロローグなのである。この雌伏のときを過ごしてきた巻島史彦がどのような変貌ぶりを見せてくれるのか。そこが本書の読み所でもある。では、巻島を表舞台へと引き戻すことになる、その事件とは……。

あれから六年。巻島を失脚させた〔ワシ〕の事件は迷宮入りも同然の状態であったが、神奈川県川崎市でまたしても凄惨な事件が発生していた。五歳～七歳の男児を狙った連続殺害事件である。この一年弱の間に約四万人の捜査員を投入したものの、犯人の影すら見えてこない。〔バッドマン〕と名乗る犯人から、人気ニュース番組「ニュースナイトアイズ」宛てに声明文が届いたのは、四件目の犯行の直後であった。

そうした中、神奈川県警本部長として赴任してきたのは、あの〔ワシ〕の事件で陣頭指揮をとった曾根警視監だった。巻島との因縁は深い。そもそも巻島にあの事件の責任を負わせた張本人は、曾根であった。赴任早々、膠着している〔バッドマン〕事件の打開策を模索していた曾根は、ある奇策を思い付く。

その奇策の「主役」に選ばれたのが、巻島史彦だった。足柄署に左遷されていた彼は、

足柄署を神奈川県下で検挙率トップに押し上げた陰の立役者として生き続けていたのである。では、曾根本部長の考えた奇策とは……。

「この事件の特徴は何だ？」

「劇場型犯罪です」（中略）

「これに対抗するにはどうすればいいか。俺は考えた。そしてたどり着いた答えは

……」曾根は人差し指を立ててみせた。

「劇場型捜査だ」

かくして、巻島史彦は〈ニュースナイトアイズ〉に出演して「劇場型捜査」を開始することになる。「主役」は犯人ではなくあくまでも警察だ。主導権は巻島が握らなければならない。

「我々はバッドマンからのメッセージを待っています」——巻島の呼び掛けに、果たして犯人からのアプローチはあるのか？　数多くの巧妙な偽手紙が届くなか、ついに〈バッドマン〉からのメッセージが届いた。

一方、巻島の上司である刑事総務課長の植草警視がおかしな行動を始めた。〈ニュー

スナイトアイズ」のライバル番組のアナウンサー、杉村未央子に接触を図ったのだ。その目的は一体何なのか？

　作者の人物造型の確かさは定評のあるところだが、本書では劇場型捜査の「主役」たる巻島警視の描き方が成否の分かれ目となる。何しろ姿や声はおろか性別、年齢さえも不明な「敵」を相手に、巻島の独り舞台が続き、それが物語の核となるのだ。巻島のキャラクターに魅力がなければ、そもそもこの物語の前提そのものが崩れてしまう。私は、そこに作者の本作に賭ける並々ならぬ意気込みを感ずる。

「劇場型捜査」が本書の核を成してはいるのだが、巻島と「内部の敵」とのもう一つの闘いも読み所の一つである。マスコミ報道のスクープ合戦を逆手にとりながら、巻島が内部の敵をあぶり出すために仕掛けたトリックとは……。このあたりは読んでいて実に小気味良い。「内部の敵」の存在感が、物語の面白さを本物にしているといっていい。

　また、巻島と被害者家族との交流が、見えない「絆」へと転化していく過程もこの作品の隠れた読み所である。救いようのない幼児連続殺人事件を扱いながら、読後感が決して悪くないのは、そのあたりに起因しているのではなかろうか。

　そして「絆」といえば、この作品を陰で支えているのが、巻島の家族の存在である。彼と家族との絆、これが本作の底流に流れているからこそ巻島というキャラクターが生

きて立ち上がって来るのである。そのあたりを描き切った作者の筆さばきに、作家としての飛躍を感ずるのは私だけではあるまい。その結果、本作は第七回大藪春彦賞を受賞したのである。

ところが、受賞後の第一作『クローズド・ノート』（二〇〇六）が世に出たときには大いに驚かされた。なんと、一転して純粋な恋愛小説であったからだ。だが、読んでみると、そこには雫井脩介の世界が、また別の貌《かお》で展開されていた。作者がこの後、どんな物語を紡いでくれるのか、本当に楽しみである。これほど次回作が待ち遠しい作家は他にはいない。その意味でも、まずは『犯人に告ぐ』をじっくりと味わっていただきたい。

■本書は、二〇〇四年七月小社より単行本として刊行されたものです。

双葉文庫

し-29-02

犯人《はんにん》に告《つ》ぐ(下)

2007年 9 月20日　第1刷発行
2007年11月20日　第5刷発行

【著者】
雫井脩介《しずくいしゅうすけ》

【発行者】
佐藤俊行

【発行所】
株式会社双葉社
〒162-8540 東京都新宿区東五軒町3番28号
[電話]03-5261-4818(営業) 03-5261-4831(編集)
[振替]00180-6-117299
http://www.futabasha.co.jp/
(双葉社の書籍・コミックが買えます)

【印刷所】
大日本印刷株式会社

【製本所】
株式会社宮本製本所

【表紙・扉絵】南伸坊
【フォーマット・デザイン】日下潤一
【フォーマットデジタル印字】ブライト社

ISBN978-4-575-51156-7 C0193

横山秀夫
真相
短編集

息子を殺された男が、犯人の自供によって知る息子の別の顔「真相」等五編を収録。人間の心理・心情を鋭く描いた傑作短編集。

松本清張
細谷正充・編
松本清張初文庫化作品集①
失踪
短編集

膨大な数の松本清張作品から、現在まで文庫化されなかったものを収録。病院の暗部に迫る叙述ミステリー「草」等傑作ばかりを四編。

松本清張
細谷正充・編
松本清張初文庫化作品集②
断崖
短編集

北海道の景勝地にある宿泊所で働く老人は、ある日自殺志願の女を救った。その夜、老人は内なる熱い欲求に気づく「断崖」等五編。

松本清張
細谷正充・編
松本清張初文庫化作品集③
途上
短編集

不遇なまま死んだ画家の妻は、再婚し、穏やかな日々を送っていた。しかし、ある出来事を契機にそれは乱れ始める「紙碑」等五編。

松本清張
細谷正充・編
松本清張初文庫化作品集④
月光
短編集

著者の自伝的要素が強い「河西電気出張所」、美貌の俳人・橋本多佳子を描く「月光」、伊藤博文の愛人の視点で日韓併合を綴る「統監」等四編。

松本清張
対談集 発想の原点
対談集

巨匠・松本清張氏の「発想の原点」を佐野洋・五木寛之・井上ひさし・筒井康隆各氏が探り、明らかにしようとする画期的な試み。名著復活。

高橋克彦
あやかし（上・下）
長編ホラー

ビートルズ人気に沸く1964年。岩手県S町で起きた交通事故が全ての発端だった。被害者の血は人間のどの血液型にも合致しなかった！

乃南アサ　風紋（上・下）　長編サスペンス
大きく運命を狂わされてしまった殺人事件の加害者、被害者双方の家族の物語。「犯罪被害者」の問題を世に投げかけた話題のロングセラー。

乃南アサ　殺意・鬼哭　長編サスペンス
片や加害者の独白、片や被害者の独白。かつてない試みで「エンターテインメントの域をはるかに越え出た力業である」と評された異色作。

乃南アサ　ピリオド　長編サスペンス
「人は自分の人生にいくつかのピリオドを打ちながら進んでいく」。この静かな物語は日常に倦んだ人たちの心のカタルシスになる。

乃南アサ　晩鐘（上・下）　長編サスペンス
母親を殺害された娘。殺人犯の父親を持った少年。あの忌まわしい事件から七年。心に癒しがたい傷を負った人々の物語。話題作「風紋」続編！

貫井徳郎　失踪症候群　長編ミステリー
「若者たちの失踪の背景を探って欲しい」依頼に応えて、警視庁の環敬吾は3人のプロフェッショナルを招集した。大人気シリーズ第一弾！

貫井徳郎　誘拐症候群　長編ミステリー
環敬吾率いる影の特殊工作チームが、自称・ジーニアスの企てた巧妙な誘拐事件に挑む。手に汗握る「症候群シリーズ」第二弾！

貫井徳郎　殺人症候群　長編ミステリー
サスペンス、社会派、ハードボイルド、本格。あらゆる面白さを詰め込んだ最高傑作。シリーズの掉尾を飾るノンストップ1100枚。

吉村達也　**僕が愛したサイコ**　マインドミステリー

花火大会で突然首筋に唇をつけてきた謎の女。その女が自分の知らないところで戸籍上の妻になっていた！　その裏に潜む哀しい過去とは？

吉村達也　**心の旅**　心理サスペンス

一七歳の少女・渚は、ある日突然、自殺寸前の女性の心の中に入り込む。不思議な現象は止まらない。そして「旅」の理由が明らかになる！

池井戸潤　**MIST**　長編ミステリー

中部地方の静かな高原を襲った連続殺人事件。遺体はみな鋭く喉を掻き切られていた。今、この町に凶悪犯が潜んでいる。上松巡査が挑む！

荻原浩　**ハードボイルド・エッグ**　ユーモア・ハードボイルド

マーロウに憧れる「私」と、ダイナマイト・ボディ（？）の秘書が巻き込まれた殺人事件。タフさと優しさと笑いに包まれた傑作。

荻原浩　**誘拐ラプソディー**　ユーモア・ミステリー

「犯人はどこの馬鹿だ？」誘拐した子供の親はとんでもない相手で……。不覚にも涙するノンストップ・ユーモア・クライムノベル。

荻原浩　**母恋旅烏**　家族小説

伝説の芝居『母恋旅烏』にかける旅芸人一家の汗と涙と笑いの幕が、いま上がる！　たっぷり笑って、しみじみ泣ける傑作。

荻原浩　**僕たちの戦争**　青春小説

現代のフリーターと特攻隊員が時空を超えて入れ替わった！　それぞれの境遇に順応しつつも、ふたりは元の時代に戻ろうとするが……。

恩田　陸　**MAZE**　長編ミステリー

アジアの西の果てに、中に入った人間が戻ってこないと伝えられる建物があった。謎を解き明かすためにやってきた神原恵弥たちの運命は？

恩田　陸　**クレオパトラの夢**　長編ミステリー

神原恵弥は、不倫相手を追った妹を連れ戻すため、また「クレオパトラ」と呼ばれるものの正体を掴むため、北国に来た。シリーズ第二弾！

岩井志麻子　**薄暗い花園**　ホラー短編集

「ほうら、あなたの近くに恐怖はある」。美しい文章が、人間関係に居座る不安定さ、ふと気づく日常の違和感など、恐怖の兆しを炙り出す。

西澤保彦　**両性具有迷宮**　LOVE&SEXミステリー

コンビニで爆風を浴びたうら若き乙女たちの股間に異変が！　殺人事件も起きちゃって大ピンチ。センスオブジェンダー賞・特別賞受賞作！

三雲岳斗　**聖遺の天使**　長編ミステリー

一五世紀のイタリア、湖水地方。嵐の晩、湖畔の城館で磔になって死んでいる主人が発見された。ダ・ヴィンチの頭脳が謎を解き明かす！

大倉崇裕　**白戸修の事件簿**　癒し系ミステリー

次々に事件を解決する彼を人は「巻き込まれ探偵」「お人好し探偵」と呼ぶ。小説推理新人賞受賞作他、ちょっと心が優しくなれるミステリー。

喜国雅彦　**本棚探偵の冒険**　痛快！　古本エッセイ

乱歩の蔵で狂気乱舞、ポケミス・ゲットに東奔西走。人気マンガ家である著者が、独特な語り口とイラストで綴る「古本マニア道」！